新完全マスター 聴解

日本語能力試験 N3

中村かおり・福島佐知・友松悦子 著

スリーエーネットワーク

Published by 3A Corporation.
Trusty Kojimachi Bldg., 2F, 4, Kojimachi 3-Chome, Chiyoda-ku, Tokyo 102-0083, Japan

ISBN978-4-88319-609-8 C0081

First published 2012
Printed in Japan

はじめに

　日本語能力試験は、1984年に始まった、日本語を母語としない人の日本語能力を測定し認定する試験です。受験者が年々増加し、現在では世界でも大規模の外国語の試験の一つとなっています。試験開始から20年以上経過する間に、学習者が多様化し、日本語学習の目的も変化してきました。そのため、2010年に新しい「日本語能力試験」として内容が大きく変わりました。新しい試験では知識だけでなく、実際に運用できる日本語能力が問われます。本書はこの試験のN3レベルの問題集として作成されたものです。

　まず、「問題紹介」で、問題の形式とその解法を概観します。次に「実力養成編」で、問題形式別に、必要なスキルを身につけるための学習をします。最後に「模擬試験」で、実際の試験と同じ形式の問題を解いてみることによって、どのくらい力がついたかを確認します。

■本書の特徴
　①問題形式に合わせて、それぞれに必要なスキルを学ぶことができる。
　②各スキルを段階を踏んで学習することにより、無理なく聴解の力を身につけられる。
　③易しい日本語で書いてあり、翻訳もついているので、自習に使うことができる。
　④初級から中級レベルの学習者がつまずきやすい点に焦点を当てているため、初級から中級への橋渡し教材および復習教材としても活用できる。

　私たちはこれまで聴解の学習方法がわからないという学習者に大勢出会い、どうすれば学習者に聴解の力がつけられるかを考え続けてきました。そこで、「どのように聞くか」というスキルを、日本語能力試験の形式別に一つずつ身につけられるようにまとめたのが本書です。本書が日本語能力試験の受験に役立つと同時に、日本語を使って学習・生活・仕事をする際にも役立つことを願っています。

2012年5月　著者

目 次　Contents　目录

VI 「概要理解」のスキルを学ぶ

General outline comprehension skills training 学习"概要理解"题的解题技巧

本書をお使いになる方へ

■本書の目的

この本の目的は二つです。

①日本語能力試験Ｎ３の試験に合格できるようにします。

②試験対策だけでなく、全般的な「聴解」の勉強ができます。

■日本語能力試験Ｎ３聴解問題とは

日本語能力試験Ｎ３は、「言語知識（文字・語彙）」（試験時間30分）「言語知識（文法）・読解」（試験時間70分）と「聴解」（試験時間40分）の三つに分かれています。

聴解の問題は5種類あります。

1　課題理解

2　ポイント理解

3　概要理解

4　発話表現

5　即時応答

■本書の構成

この本は、以下のような構成です。

問題紹介

実力養成編　Ⅰ　音声の特徴に慣れる

Ⅱ　「発話表現」のスキルを学ぶ

Ⅲ　「即時応答」のスキルを学ぶ

Ⅳ　「課題理解」のスキルを学ぶ

Ⅴ　「ポイント理解」のスキルを学ぶ

Ⅵ　「概要理解」のスキルを学ぶ

模擬試験

詳しい説明をします。

問題紹介　　問題の形式と解き方を知り、この本で学習することを整理します。

実力養成編　Ⅰ　音声の特徴に慣れる

【目標】話し言葉の特徴を理解して聞ける

【練習】似ている音を聞き分ける、変化した音を聞き取る

II 「発話表現」のスキルを学ぶ

【目標】場面や状況に合う発話がすぐに判断できる

【練習】許可や依頼の発話を聞き分ける、申し出などを聞き取る

III 「即時応答」のスキルを学ぶ

【目標】質問、依頼などの短い文を聞いて、それに合う答え方がすぐに判断できる

【練習】だれの動作かを聞き取る、会話表現が使われている文を聞き取る、間接的な表現の意味を理解する

IV 「課題理解」のスキルを学ぶ

【目標】これから何をするべきかがわかる

【練習】依頼などするべきことを示す言葉を聞き取る、いくつかのするべきことの中で最初にすることを聞き取る

V 「ポイント理解」のスキルを学ぶ

【目標】質問されたことにポイントを絞って聞き取れる

【練習】ポイントの部分を詳しく聞き取る、話す人の気持ち（肯定／否定）を考える

VI 「概要理解」のスキルを学ぶ

【目標】全体として言いたいことや話す人の意図がわかる

【練習】話題をつかむ、話す人の意図を考える、意見や主張を聞き取る

模擬試験 実際の試験と同じ形式の問題です。実力養成編で学習した内容がどのぐらい身についたかを確認します。

■表記

問題紹介、実力養成編では、基本的に常用漢字（1981年10月内閣告示）にあるものは漢字表記にしました。ただし、著者らの判断でひらがな表記の方がいいと思われるものは例外としてひらがな表記にしてあります。模擬試験の問題では、旧日本語能力試験2級以上の漢字を目安に、ひらがな表記にしました。本文、別冊ともに漢字にはすべてふりがなをつけました。

■学習時間

50分授業で、「スキルの解説から練習の問題まで」を、だいたい二つ学習できます。ただし、学習者のレベルに応じて、丁寧にゆっくり進むかスピードアップするかによって、時間数を調整することはできるでしょう。個人で学習する場合は、自分の学習スタイルに合わせて時間数を調整してください。

【学習の進め方の例】

①解説を読む：学習するスキルを確認する。注意する表現がある場合は意味を確認する。

②例題を解いて、答えと解説を確認する：例題の解説を読んで、スキルを確認する。

③練習問題を解く：スキルを意識して解く。必要な場合は2〜3回聞く。

④答えとスクリプトを確認する：内容を確認し、必要があればもう一度聞く。

⑤確認問題を解く：その章で練習したスキルが身についているかを確認する。

■CDについて

CDの時間が限られているので、選択肢を読む時間や答えを考える時間が、実際の試験よりも短いところがあります。考える時間が必要なときは、CDを止めて使ってください。

To the users of this book

■ Aims of the book

This book has two aims:
1. To help the learner pass the N3 Level of the Japanese Language Proficiency Test.
2. To enable the learner to practice and improve his/her general listening comprehension skills irrespective of whether an examination is involved.

■ What listening questions will be asked in the Japanese Language Proficiency Test at the N3 Level?

The Japanese Language Proficiency Test at the N3 Level is made up of three parts: 'Language Knowledge (Vocabulary)' [30 minutes], 'Language Knowledge (Grammar) and Reading' [70 minutes], and 'Listening Comprehension' [40 minutes].
There are five types of questions in the listening comprehension section of the test:
1. Task-based comprehension
2. Comprehension of key points
3. Comprehension of general outline
4. Verbal expressions
5. Quick response

■ How this book is structured

This book is structured in the following way:
Question Examples
Skills Development   I   Becoming used to distinctive sounds
                      II   Verbal expressions skills training
                      III   Quick response skills training
                      IV   Task-based comprehension skills training
                      V   Key point comprehension skills training
                      VI   General outline comprehension skills training

Mock Test

In more detail, the book aims to do the following:

Question Examples Through an introduction to the types of questions and the ways to answer them, the learner comes to understand what is studied in the book.

Skills Development   I   Becoming used to distinctive sounds

Objective: The learner can hear and comprehend the distinctive features of spoken language.

Practice: Distinguishing between similar sounds and listening for changes in sound.

II   Verbal expressions skills training

Objective: The learner can quickly judge the appropriate utterances that match the situations and circumstances.

Practice: Identifying expressions of permission and request and listening for expressions related to offers of help.

III   Quick response skills training

Objective: The learner can hear short questions and requests and quickly judge what is the most appropriate response.

Practice: Listening to identify who is doing a certain action, listening for sentences including conversational expressions, and comprehending the meaning of indirect expressions.

IV   Task-based comprehension skills training

Objective: The learner can understand what should be done next.

Practice: Listening for requests to identify what should be done next, and what should be done first out of a number of actions.

V   Key point comprehension skills training

Objective: The learner can narrow down the question asked to its key points.

Practice: Listening for the key points in a discourse and considering the speaker's feelings (affirmative/negative).

VI   General outline comprehension skills training

Objective: The learner can comprehend what the speaker wants to say in general and what the speaker's intention is.

Practice: Grasping the general subject matter, considering the speaker's intention and the speaker's feelings.

Mock test The questions are presented in the same format as in the actual examination. The learner can confirm how much he/she has grasped of what has been studied in the Ability Training section.

■ Transcription

The kanji transcription used in the book for the Question Example and Skills Development sections is based on the Joyo Kanji list (as per the Cabinet announcement on kanji for everyday use made in October 1981). However, there are exceptions where the authors have judged it best to use hiragana instead. Where the questions in the mock text are concerned, kanji characters that are above the old Level 2 examination have been written in hiragana. All the kanji in the main text, as well as the accompanying booklet, come with hiragana readings.

■ Study time

It is roughly possible to study a whole section, from skill explanation to question practice, twice in one 50-minute class. However, the study time can be adjusted to meet the level of the students, either proceeding more slowly or more quickly. For self-study learners, please study at a pace that suits your own study style.

[An example of how to study with this book]
1. Read the explanation: Confirm the skill to be studied. When there are expressions that should be paid attention to, confirm the meaning.
2. Study the example, confirming you have understood the explanation and the answer: Read the explanation of the example and confirm you understand the skill(s) required.
3. Solve the practice questions: Solve the questions being conscious of the skill(s) required. When necessary, listen to the question 2 or 3 times.
4. Confirm the answer and the contents of the script: Confirm you understand the contents. If necessary listen again.
5. Solve questions to confirm your comprehension: Use these questions to confirm that you have firmly grasped the skills you have practiced.

■ CD

The time on the CD is limited, and consequently the time allowed for reading the choices and thinking about the reply is sometimes shorter than in the actual examination. If or when you need time to think, pause or stop the CD.

致学习者

■本书的目的

本书最主要的目的为以下两点：

①使学习者具备顺利通过N3级考试的能力。

②提高学习者"听力"能力，不仅局限于考试对策，而是使学习者具备全面的"听力"能力。

■日本语能力测试N3级听力试题

日本语能力测试N3级分为「言語知識（文字・語彙）（语言知识（文字・词汇））」（考试时间30分钟）、「言語知識（文法）・読解（语言知识（语法）・阅读理解）」（考试时间70分钟）和「聴解（听力）」（考试时间40分钟）三大部分。

听力试题又分为以下五个部分。

1. 问题理解

2. 重点理解

3. 概要理解

4. 语言表达

5. 即时应答

■本书的构成

本书由以下几部分构成：

题目类型

实力养成篇　　Ⅰ　熟悉语音的特点

　　　　　　　　　Ⅱ　学习"语言表达"题的解题技巧

　　　　　　　　　Ⅲ　学习"即时应答"题的解题技巧

　　　　　　　　　Ⅳ　学习"问题理解"题的解题技巧

　　　　　　　　　Ⅴ　学习"重点理解"题的解题技巧

　　　　　　　　　Ⅵ　学习"概要理解"题的解题技巧

模拟试题

下面进行详细说明。

题目类型　　简要介绍听力考试的各类题型和答题方法，帮助考生在考试学习前对考试有一个整体的把握。

实力养成篇　**Ⅰ　熟悉语音的特点**

　　　　　　　　目标：掌握口语体的语音特征。

　　　　　　　　练习内容：有效辨析相似语音、掌握语音变化。

II 学习"语言表达"题的解题技巧

目标：能够立即判断语言表达是否与发话情景适宜。

练习内容：区分许可和请求、掌握表示申请等的表达方式。

III 学习"即时应答"题的解题技巧

目标：听到提问、请求等小短句后能够立即判断出与之相符的答句。

练习内容：判断动作主体、熟悉会话中的表达方式、准确理解间接回答真正所表示的意思。

IV 学习"课题理解"题的解题技巧

目标：能够判断应做事项。

练习内容：注意请求等能够表示应做事项的表达方式，准确判断多个应做事项的先后次序。

V 学习"要点理解"题的解题技巧

目标：能够围绕提问的要点进行听力理解。

练习内容：注意与要点有关的信息，判断说话人对要点信息所持的态度（肯定或否定）。

VI 学习"概要理解"题的解题技巧

目标：能够把握谈话的主题及说话人的意图。

练习内容：把握谈话的话题及说话人的意图、理解说话人的观点和主张。

模拟试题 采取和实际考试相同的出题方式，检测学习者对于"实力养成篇"中学习内容的掌握情况。

■表记

题目类型及实力养成篇部分，基本的常用汉字（1981年10月日本内阁通告）用汉字表记。但是，作者认为用平假名表记更为恰当的则作为例外用平假名方式表记。模拟题部分，原日语能力考试2级以上的汉字及词汇都用平假名方式表记。本书及答案册中的日文汉字均添加了注音。

■学习实践

50分钟的课堂时间大概可以完成两项技巧的学习。但是，也可以根据学生的实际水平，适当放慢或加快进度，调整学时数。如果是自学，可以根据自己的学习习惯自行调节进度。

【学习方法举例】

①阅读解析内容：确认要学习的解题技巧，有需要注意的表达方式的则要确认其意思。

②做例题、参考答案和解析：仔细阅读例题解析，学习解题技巧。

③做练习题：解题时要有意识地运用所学的解题技巧，必要时可以听两到三遍。

④参考答案和听力文本：确认所听内容，如有必要则再听一遍。

⑤做测试题：测试是否已经掌握本章的解题技巧。

■关于录音

考虑到录音时长，给学习者留出的阅读答题纸上选项的时间以及思考答案的时间均比实际考试要短，学习者可根据自身需要，将录音暂停，适当延长答题时间。

<ruby>問題紹介<rt>もんだいしょうかい</rt></ruby>

まとまりのある話から依頼や指示、提案などを聞き取り、何をするべきかを考える問題です。選択肢は問題用紙に書かれていて、絵があるものと文字だけのものがあります。実際の試験では、問題の前に練習があります。

The problem is to listen carefully and pick up the requests, instructions and suggestions of a coherent conversation or spoken statement and to think what should be done. On the problem sheet, the choices are shown in written form or as illustrations. In the actual examination there will be an exercise before the problem is presented.

此类题目先给出一段话，听题的时候要注意其中表示请求、指示、建议或其他的句子，判断要做的事项究竟是什么。选项列在试题册上，有的有插图，有的没有。正式考试的时候，前面会有一道例题。

⭐ 例題1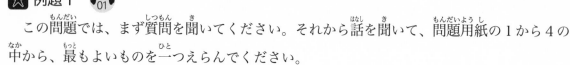

この問題では、まず質問を聞いてください。それから話を聞いて、問題用紙の1から4の中から、最もよいものを一つえらんでください。

1 写真を準備する
2 原稿を直す
3 発表の練習をする
4 漢字の読み方を確認する

スクリプト

日本語のクラスで女の先生が発表の準備について話しています。男の学生はまず何をしなければなりませんか。

女：先週お話ししたように、あさっての授業では発表をしてもらいますから、準備しておいてください。

男：発表の時パソコンを使ってもいいですか。写真を見せたいんですけど。

女：いいですけど、リーさんはまだ原稿ができていないでしょう？ 写真だけでは発表になりませんよ。すぐにやって、見せてください。

男：はい。書き直すのはまとめのところだけでいいですか。

女：ええ、そこがちょっとわかりにくいので、もう少し直さないと。ほかの準備は原稿が完成してからでいいです。それから、あしたはグループで発表の練習をするので、漢字の読み方も確認してきてくださいね。

男の学生はまず何をしなければなりませんか。

答え 2

質問で「まず」と言っているので、最初にすることを考えます。先生は「原稿ができていない」と言った後、「すぐにやって、見せて」と言っています。学生は「はい」と言って指示に同意し、「書き直すのはまとめのところだけでいい（か）」と確認しているので、2が答えです。

このように、指示や依頼などするべきことを示す言葉や、相手が同意しているかどうかに注意します。

Since the question says「まず (first)」, one should think about what is done at the beginning. The teacher has said「原稿ができていない (the manuscript is not ready yet)」and「すぐにやって、見せて (do it first and let me see it)」. As the student says「はい (yes)」, agreeing to the teacher's instructions, and then asks「書き直すのはまとめのところだけでいい（か）(Is it okay to only rewrite the conclusion?)」, the correct answer is 2.

In this manner, attention will be focused on the words expressing what should be done, that is, on words that denote an instruction or request, and on whether or not the opposite party has given its consent to the instruction or request.

提问中出现了"まず（首先）"，所以听题的时候要注意判断"首先要做什么？"老师在说过"原稿ができていない（稿子还没写完）"之后，说"すぐにやって、見せて（你马上写，写好了给我看）"，学生回答说"はい（好的）"，表示他接受老师的指示，随后并用"書き直すのはまとめのところだけでいい（か）（就最后总结的部分重写是吗？）"进行了确认，因此正确答案是2。

由上可见，这一题要特别注意表示指示、请求等表示应做事项的表达方式，还要注意听话人的回答，是肯定还是否定。

まとまりのある話から、質問されたことにポイントを絞って聞き取る問題です。出来事の理由や目的、話す人の気持ちなどについて質問されます。実際の試験では、問題の前に練習があります。

The problem is to listen carefully and to narrow down the question asked to the key point(s) of a coherent conversation or spoken statement. The questions asked are about the reasons and purpose of the event and the feelings of the speaker. In the actual examination there will be an exercise before the problem is presented.

此类题目先给出一个提问，提问的要点多种多样，有可能是某个事项的原因、目的，也有可能是说话人的态度。听题的时候要注意与提问内容相关的信息。正式考试的时候，前面会有一道例题。

★ **例題2** 🅐02

この問題では、まず質問を聞いてください。そのあと、問題用紙を見てください。読む時間があります。それから話を聞いて、問題用紙の1から4の中から、最もよいものを一つえらんでください。

1　アルバイトがあるから
2　子供の世話をするから
3　友達の結婚式に行くから
4　週末は休みではないから

スクリプト

女の人と男の人が話しています。男の人はどうして飲み会に行けませんか。

女：渡辺君、あしたの飲み会、行く？

男：あー、行こうと思っていたんだけど……。

女：あ、アルバイトの日か。

男：それは前から休みもらってたからいいんだけど。あしたはさ、姉の子供を預かって
　　ほしいって頼まれちゃってね。友達の結婚式に行くからって。

女：お兄さんはいないの？

男：うん、いつもなら週末は休みなんだけど……。子供が1人じゃかわいそうだしね。

女：ふうん。大変そうだけど、頑張ってね。

男の人はどうして飲み会に行けませんか。

答え　2

　男の人が飲み会に行けない理由を、選択肢を手がかりに考えます。「アルバイト」は「いい（＝問題ない）」と言っているので違います。「子供」を「預かってほしいって頼まれ（た）」と言っているので、2が答えです。「友達の結婚式に行く」のは姉で、「いつもなら週末は休みなんだけど（＝今週は休みではない）」のは兄です。

　このように、話の中に出てくる選択肢と同じ言葉、または同じ意味の言葉に注意して、それについて話す人が言いたいこと（肯定的か否定的か）を考えます。

Using the choices as hints for suggesting the reasons why the man cannot go to the drinking party should be considered. His「アルバイト (part-time job)」is not the answer, as he says「いい [＝問題ない no problem]」. He then says「預かってほしいって頼まれ (た) (I have been asked to look after)」「子供 (を) (my elder sister's child)」, thus the correct answer is 2. The person who「友達の結婚式に行く (is going to a friend's wedding party)」is his elder sister and「いつもなら週末は休みなんだけど (always has the weekend off, but... [＝今週は休みではない this weekend is not off])」is his elder brother.

In this manner, attention will be focused on the same words being in the choices or the words that have the same meaning as the choices and one should consider what the person talking about this really wants to say (answering in the affirmative or negative).

这一题要参考各选项内容，分析题目中男子不能去喝酒的原因。选项"アルバイト (打工)"因为他说"いい (＝問題ない) (不影响)"，因此可以排除。选项"子供"，后面说道"預かってほしいって頼まれ (た) (人家托我帮忙照顾孩子)"，因此选项2是正确答案。选项"友達の結婚式に行く (去参加朋友的婚礼)"是姐姐的行为，"いつもなら週末は休みなんだけど (＝今週は休みではない) (这个周不放假)"是哥哥／姐夫的行为，都可以排除。

由上可见，做这类题目，对于题目中出现的与选项中相同的表达方式或意思相同的表达方式要格外引起注意，并留意说话人对此的态度 (是肯定还是否定)。

まとまりのある話（はなし）を聞（き）いて、全体（ぜんたい）として言（い）いたいことや話（はな）す人（ひと）の意図（いと）を考（かんが）える問題（もんだい）です。実際（じっさい）の試験（しけん）では、問題（もんだい）の前（まえ）に練習（れんしゅう）があります。

The problem is to listen carefully to a coherent conversation or spoken statement and to consider what the conversation or the spoken statement as a whole is saying and what the intentions of the persons speaking are. In the actual examination there will be an exercise before the problem is presented.

此类题目先给出一段话，之后就这段话的大意或说话人的意图进行提问。正式考试的时候，前面会有一道例题。

★ 例題（れいだい）3　A03

この問題（もんだい）では、問題用紙（もんだいようし）に何（なに）もいんさつされていません。この問題（もんだい）はぜんたいとしてどんなないようかを聞（き）く問題（もんだい）です。話（はなし）の前（まえ）に質問（しつもん）はありません。まず話（はなし）を聞（き）いてください。それから、質問（しつもん）とせんたくしを聞（き）いて、1から4の中（なか）から、最（もっと）もよいものを一（ひと）つえらんでください。

| 1 | 2 | 3 | 4 |

スクリプト

テレビで女の人が話しています。

女：試験の時などに、緊張してしまって困ったことはありませんか。そんな時に役立つ、いくつかのやり方をご紹介しましょう。ある人は、緊張しているときに「お父さん、ありがとう。お母さん、ありがとう」とほかの人への感謝を心の中で言うと、落ち着けるそうです。また、体に一度ぐっと力を入れて、その後力を抜くと、落ち着けるという人もいます。一度試してみてはいかがですか。

女の人は何について話していますか。

1　人が緊張する理由
2　落ち着くための方法
3　両親への感謝の伝え方
4　力の入れ方と緊張の関係

答え 2

「ご紹介しましょう」と言って示している話題は、「緊張してしま（う）」ときに「役立つ、いくつかのやり方」なので、2が答えです。「感謝を心の中で言う」ことと「体に一度ぐっと力を入れて、その後力を抜く」ことはやり方の例です。

このように、全体として何について話しているかや、話す人の意図に注意します。

Since the topic that is indicated by saying 「ご紹介しましょう (let me introduce)」 is about 「役立つ、いくつかのやり方 (some useful methods)」 that are useful when one is 「緊張してしま（う）(all tensed up)」, the correct answer is 2. 「感謝を心の中で言う (expressing gratitude in one's heart)」 and 「体に一度ぐっと力を入れて、その後力を抜く (tensing your body and then relaxing it)」 are examples of these methods.

In this manner, attention will be focused on what the conversation or the spoken statement as a whole is saying and what the intentions of the persons speaking are.

这段话中，说话人以"ご紹介しましょう（我来给大家介绍一下）"导入的话题是"緊張してしま（う）（紧张）"的时候"役立つ、いくつかのやり方（几个有效地缓解紧张的方法）"，因此正确答案是2。"感謝を心の中で言う（在自己心里说感谢）"和"体に一度ぐっと力を入れて、その後力を抜く（先让全身紧张起来，然后彻底放松）"都是她所列举的缓解紧张的方法。

由上可见，要注意把握整段话的话题及说话人的意图。

絵を見ながら、その人の立場に立って、場面や状況に合う発話を考える問題です。依頼したり許可を求めたりする表現を答えます。問題の前に練習はありません。

The problem is to consider the utterances that fit the situations and circumstances from the standpoint of the person concerned while looking at the illustration. The answers will be expressions denoting a request or asking for permission. There will be an exercise before the problem is presented.

此类题目配有插图，让考生为指定人物选择与发话情景适宜的表达方式，选项通常为表示请求或征求许可的祈使句。正式考试的时候前面没有例题。

 例題4　🄰04

この問題では、えを見ながら質問を聞いてください。やじるし（→）の人は何と言いますか。1から3の中から、最もよいものを一つえらんでください。

1　　　2　　　3

スクリプト

大学で事務の人に書類の書き方を聞きます。何と言いますか。

男：1　あの、この書類の書き方、教えてもよろしいでしょうか。

　　　2　あの、この書類の書き方、教えていただきたいんですけど。

　　　3　あの、この書類の書き方、教えていただきましょうか。

答え 2

　状況説明文で「事務の人に聞く」と言っているので、事務の人がやじるし（→）の人（話す人）に書き方を教えます。2は話す人が教えてほしいと頼む言い方で、状況と合います。1は話す人が許可を求める言い方、3は話す人が提案する言い方です。

　このように、状況や場面を理解して、それに合う表現を選びます。だれの動作を表す表現かや、ある状況で使われる決まった表現に注意します。

Since the explanation of the situational context says「事務の人に聞く (ask the office clerk)」, the office clerk explains to the persons marked with an arrow (the person speaking) the way in which the form should be completed. Choice 2 fits the situation because it gives the way of asking for an explanation to the person asking. Choice 1 gives the way in which the person speaking asks for permission and choice 3 the way in which the person speaking makes a suggestion.

In this manner, the fitting expression is selected on a proper understanding of the circumstance and the situation. Attention should be given to the expression that explains whose action it is and the fixed expression used in the given circumstance.

前面介绍会话情景时，说的是"事务の人に聞く（询问行政人员）"，由此可以判断说话人的目的是让行政人员教带箭头的人（说话人）（标有→）怎么写，选项2正是表示请求的表达方式，适用于这一情景。选项1表示说话人征求别人的同意，选项3表示说话人的建议，都不适用于这一情景。

这道题需要正确理解说话情景，并选择与之相宜的表达方式。要注意判断各选项的表达方式中，动作的主体是谁，并熟悉某些特定场景适用的惯用表达方式。

質問、報告、依頼、あいさつなどの短い文を聞いた後、すぐにそれに合う答え方を考える問題です。実際の試験では、問題の前に練習があります。

This problem is to think about the most suitable way of answering immediately after hearing a short sentence which may be a question, report, or greeting. In the actual examination there will be an exercise before the problem is presented.

此类题目会先给出一个短句子，句子的内容通常为提问、汇报、请求或是寒暄，考生需要根据句子内容选择恰当的回答。正式考试的时候，前面会有一道例题。

★ 例題5

この問題では、問題用紙に何もいんさつされていません。まず文を聞いてください。それから、そのへんじを聞いて、1から3の中から、最もよいものを一つえらんでください。

(1) | 1 | 2 | 3 |

(2) | 1 | 2 | 3 |

スクリプト

(1) 女：座ってもかまいませんか。

　　男：1　いえ、おかげさまで。

　　　　2　はい、失礼します。

　　　　3　ええ、おかけください。

(2) 女：今日、なんで遅れたの？

　　男：1　今日は自転車だよ。

　　　　2　電車が止まってて。

　　　　3　ポストに入れたよ。

答え (1) 3　　(2) 2

(1) 話す人が座るために許可を求める表現で、3がそれに合う返事です。

(2) 「なんで」という会話表現を使って理由を聞いているので、2が最初の文に合う返事です。

　　このように、だれの動作を表す表現かや、会話で使われる表現、敬語などに注意します。

(1) The first sentence is an expression used to ask for permission to sit down. So 3 is the reply best suited to the first sentence.

(2) Because the reason is asked by using a colloquial expression「なんで」, 2 is the answer best suited to the first sentence.
　　In this manner, attention is drawn to whose action the expression points to and to the colloquial expression or polite language.

(1) 提问表示说话人想坐下，并想就此征得许可，因此选项3的回答和它匹配。

(2) 使用了口语表达方式"なんで"询问理由，因此选项2的回答和它匹配。
　　要注意判断动作的主体是谁，也要留心会话中使用了什么样的表达方式，有没有使用敬语等。

実力養成編

1-A 間違えやすい音

「゛」や小さい「っ」「ゃ／ゅ／ょ」で表す音、「ん」や長音（えいご／ノート）など、間違えやすい音に気をつけて聞きましょう。

Be sure to listen carefully for misunderstood sounds expressed by raised 「゛」 and small 「っ」 and 「ゃ／ゅ／ょ」 and 「ん」 and the long sounds in 「えいご／ノート」.

不易辨析的音包括浊音"゛"、促音"っ"、拗音"ゃ／ゅ／ょ"、拔音"ん"及长音"えいご／ノート"等，都需要格外注意。

練習1-A

聞いてください。最初の言葉と同じものはどれですか。

(例) （　a　・　ⓑ　・　c　）

(1) （　a　・　b　・　c　）

(2) （　a　・　b　・　c　）

(3) （　a　・　b　・　c　）

(4) （　a　・　b　・　c　）

(5) （　a　・　b　・　c　）

(6) （　a　・　b　・　c　）

(7) （　a　・　b　・　c　）

(8) （　a　・　b　・　c　）

(9) （　a　・　b　・　c　）

(10) （　a　・　b　・　c　）

1-B アクセントやイントネーション

　アクセントやイントネーションを手がかりにして聞くと、意味の違いがわかりやすくなります。

Differences in meaning are made easier to understand when listening by using accents and intonation as a clue.

语音借助声调及语调的不同，可以有效地进行辨析。

練習1-B
文を聞いてください。どちらですか。 A 07

(例)　これから (ⓐ　美容院　　b　病院)へ行きます。

(1)　すみません、(a　コーヒー　　b　コピー)、お願いします。

(2)　(a　さっき　　b　最近)、田中さんに会いました。

(3)　これは(a　今　　b　暇)でないとできません。

(4)　(a　あればいい　　b　あれはいい)と思います。

(5)　早く(a　帰った　　b　変えた)ほうがいいですよ。

(6)　この服、(a　ちょっと　　b　ちょうど)いいですね。

(7)　この映画は(a　もう一度見た　　b　もう一度見たい)。

(8)　ねえ、(a　これは買った　　b　これ、わかった)の？

(9)　みんな(a　車で　　b　来るまで)待ちましょう。

(10)　あと(a　もう少し、できます　　b　もう少しで、来ます)よ。

1-C〉 似ている数字

数字は「〜時」「〜分」などの単位がついたり、「4、5日」のような言い方をしたりすると、聞き取りにくくなります。アクセントやイントネーションに注意して、正しく聞き取りましょう。

It may be hard to understand what the speaker is saying if counter suffixes, such as ~o'clock and ~ minute(s), or expressions like「4、5日 (4 or 5 days)」are used. Pay attention to accent and intonation to help you correctly understand what is being said.

数字后面接量词，如"〜时"，"〜分" 这样的表示时间的量词，或以"4、5日 (4、5天)"的形式出现时，会增加听力的难度，这种情况下要格外留意声调及语调。

練習 1-C

文を聞いてください。どちらですか。 A 08

(1) （a　8匹　　b　100匹　）

(2) （a　8日か9日　　b　4日か9日　）

(3) （a　3時5分　　b　35分　）

(4) （a　11.1パーセント　　b　10.1パーセント　）

(5) （a　7、8分　　b　7時8分　）

(6) （a　1017年　　b　1011年　）

(7) （a　3分の2　　b　3部の2　）

(8) （a　356点　　b　3百5、60点　）

(9) （a　2、3冊　　b　3冊　）

(10) （a　約50人　　b　150人　）

親しい人と話すときは、音が省略されたり、書いたものとは違った音になったりすること
があります。

When talking with close friends certain sounds may be omitted or sounds different from written language may be used.

熟人之间的会话有时会采用与书面语不同的说法或出现语音省略现象。

変化した形	元の形
「〜ちゃう」「〜じゃう」 例　行っちゃう／休んじゃう	「〜てしまう」「〜でしまう」 例　行ってしまう／休んでしまう
「〜ちゃ」「〜じゃ」 例　言っちゃ／それじゃ	「〜ては」「〜では」 例　言っては／それでは
「〜（なく）ちゃ」「〜（な）きゃ」 例　出さなくちゃ／しなきゃ	「〜（なく）ては」「〜（な）ければ」 例　出さなくては／しなければ
「〜てる」「〜でる」 例　知ってる／飲んでる	「〜ている」「〜でいる」 例　知っている／飲んでいる
「〜てた」「〜でた」 例　知ってた／飲んでた	「〜ていた」「〜でいた」 例　知っていた／飲んでいた
「〜てく」「〜でく」 例　持ってく／飛んでく	「〜ていく」「〜でいく」 例　持っていく／飛んでいく
「〜てった」「〜でった」 例　持ってった／飛んでった	「〜ていった」「〜でいった」 例　持っていった／飛んでいった
「〜とく」「〜どく」 例　置いとく／読んどく	「〜ておく」「〜でおく」 例　置いておく／読んでおく
「〜って」 例　呉っていう町／いいって言った	「〜と」 例　呉という町／いいと言った
＋「っ」 例　とっても／すっごく／ばっかり	－「っ」 例　とても／すごく／ばかり

練習2−1

文を聞いてください。どちらの意味ですか。(A/09)

(例) この本、(a 読んでみる　　ⓑ 読んでいる ）？

(1) 今日は（ a 行かなくてはならない　　b 行かなかった ）。

(2) 昼ご飯、(a 食べていく　　b 食べに行く ）ね。

(3) 水、(a 持っていった　　b 持っていた ）？

(4) 切符、(a なくしてはいけない　　b なくしてしまった ）よ。

(5) かばん、(a 持っていった　　b 持つと言った ）んだよ。

練習2−2

文を聞いて、元の形を書いてください。(A/10)

(例) カメラ、＿＿＿＿＿持っている＿＿＿＿＿よ。

(1) あ、そろそろ＿＿＿＿＿＿＿＿＿＿＿＿。

(2) うち、＿＿＿＿＿＿＿＿＿＿＿＿？

(3) ここに＿＿＿＿＿＿＿＿＿＿＿＿だめだよ。

(4) 先生の話、ちゃんと＿＿＿＿＿＿＿＿＿＿？

(5) 先に＿＿＿＿＿＿＿＿＿＿＿＿ね。

(6) 店、もう＿＿＿＿＿＿＿＿＿＿＿＿よ。

(7) 飲み物、＿＿＿＿＿＿＿＿＿＿＿＿？

(8) さっき＿＿＿＿＿＿＿＿＿＿＿＿んだけど。

(9) DVDなら、田中さんが＿＿＿＿＿＿＿＿＿＿よ。

(10) ずっと同じの＿＿＿＿＿＿＿＿＿＿＿＿ね。

3 音の高さや長さに注意する

イントネーションによって、相手の話に同意しているかどうかがわかることがあります。

In some cases whether or not there is agreement with what the interlocutor says is indicated by intonation.

借助语调可以判别说话人是否同意听话人的观点。

表現

・同意しない・断る・残念な気持ち：　Do not agree/Refuse/Feel sorry　表示不同意、拒绝或遗憾的表达方式

　　うーん／あー／えー

　　○○ねえ／○○かー／○○ですかあ？

（A/11）　**例1**　これにしたらどう？

　　　　　—うん、そうだね。

　　　　　—うーん、そうだねえ。　（同意しない）

　　例2　あした7時に来てくれませんか。

　　　　　—あ、7時ですか。

　　　　　—あー、7時ですかー。　（同意しない）

　　　　　—えー、7時ですかあ？　（同意しない）

☆ **例題3**

会話を聞いてください。男の人が同意していないものに×をつけてください。

(1) （　　　　）

(2) （　　　　）

答え (1)－ (2)×

スクリプト

(1)　女：土曜日に行きませんか。
　　　男：あ、土曜日ですか。

(2)　女：これ、古いからやめたほうがいいよ。
　　　男：えー、古いかあ？

練習3

会話を聞いてください。女の人が同意していないものに×をつけてください。

(1)　(　　　　　)

(2)　(　　　　　)

(3)　(　　　　　)

(4)　(　　　　　)

(5)　(　　　　　)

(6)　(　　　　　)

(7)　(　　　　　)

(8)　(　　　　　)

(9)　(　　　　　)

(10)　(　　　　　)

Ⅱ 「発話表現」のスキルを学ぶ

問題形式と内容

絵を見ながら状況説明文と質問を聞きます。それから、3つの選択肢を聞いて、やじるし（→）の人の発話として最もよいものを選びます。

The problem is to listen to the explanation of the situational context and to the question while looking at a picture and then to listen to the three choices and select the one you think is best as an utterance of the person marked with an arrow.

此类题目配有插图，题目中会先介绍相关情况或情景，然后提出一个问题，给出三个选项，从中选择最适合指定对象（标有→）在此情景下使用的表达方式。

| 絵を見ながら状況説明文と質問を聞く | → | 3つの選択肢を聞く | → | 答えを選ぶ |

◇聞き取りのポイント

1 状況説明文を理解する
2 話す人と聞く人のどちらがする表現かに注意する
3 その状況で使う決まった表現に注意する

1. Understanding the explanation of the situational context
2. Focusing attention on whether it is the speaker's or the listener's expression
3. Focusing attention on standard phrases used in the situation

1 把握相关情况或情景
2 听清楚动作主体是说话人还是听话人
3 如该情景下有惯用的表达方式则需使用惯用表达方式

1　状況説明文を聞き分ける

状況説明文を聞いて、発話の状況や場面を理解します。話す人（→の人）と聞く人のどちらが動作をする状況なのかを考えることが大切です。

The point here is to listen to the explanation of the situational context and to comprehend the circumstances and situations of the utterance. It is important to consider what the situation is in which the speaker (person marked with an arrow) and the listener are acting.

此类题目先给出一段话，介绍相关情况或情景。答题时要注意整体把握相关情况或情景，并认真判断到底是说话人（标有→）的动作还是听话人的动作。

◇状況説明文の例

【話す人がする】

例1　友達の消しゴムを使いたいです。（話す人が使う）

例2　友達が疲れたので、運転を代わってあげます。（話す人が運転する）

【聞く人がする】

例3　友達に自転車を貸してもらいます。（聞く人が貸す）

例4　先生に作文の間違いを直してほしいです。（聞く人が直す）

練習1

状況説明文を聞いてください。どちらがしますか。選んでください。

(1) （　　話す人　・　友達　　）が教える

(2) （　　話す人　・　友達　　）が使う

(3) （　　話す人　・　隣の席の人　　）が取る

(4) （　　話す人　・　店の人　　）が説明する

(5) （　　話す人　・　着物を着ている人　　）が撮る

(6) （　　話す人　・　近くの人　　）が手伝う

(7) （　　話す人　・　図書館の人　　）が調べる

2　許可や依頼の発話を聞き分ける

2-A　許可や依頼の表現

　発話の選択肢にある表現が、話す人がするときの表現か聞く人がするときの表現かに注意します。まず状況説明文で、話す人がする状況か聞く人がする状況かを理解した後、それと合う発話を選びます。（状況説明文ではどちらがするか言わない場合もあります。）

The point here is to focus attention on whether the expression given in the choices of the utterances is the expression made by the speaker or the expression made by the listener. The selection of the utterance best suited to the situation is made after it has first been understood from the explanation of the situational context whether the situation is one brought about by the speaker or one brought about by the listener. (In some instances it is not stated in the explanation of the situational context which party has brought about the situation by his action.)

此类题目的答题关键在于搞清楚各选项的事项的动作主体到底是说话人还是听话人。首先，要正确把握情景，据此判断动作是由说话人来做还是听话人来做(情景介绍中也有可能对此不做交代)，然后选择恰当的表达方式。

【話す人がするとき】

許可を求める Asking permission 征求许可	〜ても＋いい？／いいですか／いいでしょうか／よろしいでしょうか
	〜させて＋もらえる？／もらえませんか／いただきたいんですが／ 　　　　　くれる？／くれませんか／ください／くださいませんか／ 　　　　　ほしいんだけど
	〜たいんですが／〜たいんですけど
	(使いたい)　○○、ありますか／使えますか (可能の形＋か)
	(座りたい)　ここ、いいですか／空いていますか／だれかいますか
方法を聞く Asking how to do something 询问方法、方式	どう＋〜ばいいでしょうか
	どう＋〜たらいいですか
	〜方がわからないんですが／〜がわからないんですけど
	〜たいんですが／〜たいんですけど

【聞く人がするとき】

お願いする Asking for a favor 表示请求	〜て＋もらえる？／もらえませんか／いただきたいんですが／ 　　　くれる？／くれませんか／ください／くださいませんか／ 　　　ほしいんだけど

練習2-A

状況説明文と3つの発話を聞いてください。状況に合う発話に○を、そうでないものには×
をつけてください。

(1)　1　（　　　　　）

　　　2　（　　　　　）

　　　3　（　　　　　）

(2)　1　（　　　　　）

　　　2　（　　　　　）

　　　3　（　　　　　）

(3)　1　（　　　　　）

　　　2　（　　　　　）

　　　3　（　　　　　）

(4)　1　（　　　　　）

　　　2　（　　　　　）

　　　3　（　　　　　）

(5)　1　（　　　　　）

　　　2　（　　　　　）

　　　3　（　　　　　）

(6)　1　（　　　　　）

　　　2　（　　　　　）

　　　3　（　　　　　）

(7)　1　（　　　　　）

　　　2　（　　　　　）

　　　3　（　　　　　）

(8)　1　（　　　　　）

　　　2　（　　　　　）

　　　3　（　　　　　）

2-B　注意するべき動詞

　同じ場面で違う動詞を使うことがあります。話す人の動作を表す動詞を使うとき（例：借りる）と、聞く人の動作を表す動詞を使うとき（例：貸す）では、後ろに続く表現が違うので注意します。

Different verbs may be used in the same situation. It should be noted that when a verb expressing the action of the speaker (e.g., 借りる to borrow) is used, the expression that follows afterwards will be different from when a verb is used expressing the action of the listener (e.g., 貸す to lend).

即便是同一动作，有时要根据站在说话人的视角还是听话人的视角叙述而使用不同的动词，而且所使用的动词不同，其后续的补助动词也会不同，需要注意。

本、借りてもいい？

本、貸してもらえない？

（借りる）←――――→（貸す）

動詞	例文	
借りる	【話す人の動作】	借りてもよろしいですか。
貸す	【聞く人の動作】	貸していただけませんか。
見る	【話す人の動作】	見てもいい？
見せる	【聞く人の動作】	見せてよ。
聞く	【話す人の動作】	お聞きしたいんですが。
教える	【聞く人の動作】	教えていただきたいんですが。
もらう／いただく	【話す人の動作】	もらってもいいでしょうか。
くれる／くださる	【聞く人の動作】	くださいませんか。
預ける	【話す人の動作】	荷物、預けたいんですけど。
預かる	【聞く人の動作】	荷物、預かっていただけませんか。

練習2-B

状況説明文と3つの発話を聞いてください。状況に合う発話に○を、そうでないものには×をつけてください。

(1) 1 (　　　　)

　　 2 (　　　　)

　　 3 (　　　　)

(2) 1 (　　　　)

　　 2 (　　　　)

　　 3 (　　　　)

(3) 1 (　　　　)

　　 2 (　　　　)

　　 3 (　　　　)

(4) 1 (　　　　)

　　 2 (　　　　)

　　 3 (　　　　)

(5) 1 (　　　　)

　　 2 (　　　　)

　　 3 (　　　　)

(6) 1 (　　　　)

　　 2 (　　　　)

　　 3 (　　　　)

(7) 1 (　　　　)

　　 2 (　　　　)

　　 3 (　　　　)

(8) 1 (　　　　)

　　 2 (　　　　)

　　 3 (　　　　)

3 問題を知らせる・助けを申し出る表現に注意する

聞く人に何か問題を知らせたり、自分から助けを申し出たりする状況では、次のような表現が使われます。

The following expressions are used in situations in which some problem is made known to the listener or in which help is offered by the speaker.

告知问题所在或申请提供帮助时，通常使用下面的表达方式。

状況と表現	発話例
話す人に関係する問題を知らせて、聞く人に助けを求める： Making known a problem involving the speaker and asking for help from the listener 告知说话人遇到了什么样的难题，并向听话人求助。 〜んですが／〜んですけど	・忘れ物をしたんですが。 ・エアコンが動かないんですが。 ・いすが壊れているんですけど。 ・電気がつかないんですけど。
聞く人に関係する問題を知らせる： Making known a problem involving the listener 告知听话人有什么样的问题 〜よ、〜ていますよ／〜てるよ	・ハンカチ、落ちましたよ。 ・かさ、忘れていますよ。 ・かばんが開いていますよ。 ・服に何かついてるよ。
聞く人に助けを申し出る： Offering of help to the listener 向听话人申请提供帮助 〜ましょうか／〜ようか、〜ますね／〜ますよ	・手伝いましょうか。 ・一緒に運ぼうか。 ・これ、持っていきますね。 ・片付け、一緒にやりますよ。

練習3

状況説明文と発話を聞いてください。3つの発話の中から最もよいものを1つ選んでください。 ⒶA17

(1) 1 2 3　　(2) 1 2 3　　(3) 1 2 3　　(4) 1 2 3

(5) 1 2 3　　(6) 1 2 3　　(7) 1 2 3　　(8) 1 2 3

＜状況説明文と表現＞

状況説明文の例	表現の例
会社でほかの人より自分が先に帰ります。	お先に失礼します。
会社でほかの人が自分より先に帰ります。	お疲れ様でした。
ほかの人のうちに入ります。	おじゃまします。
ほかの人のうちを出ます。	おじゃましました。
ほかのうちの人に、来たことを知らせます。	ごめんください。
先生に今から話せるかどうか聞きます。	お時間、ありますか。／ 今、ちょっとよろしいですか。
先生に質問したいです。	質問があるんですが。
受付の人に質問したいことがあります。	うかがいたいんですが。
お世話になった人に久しぶりに会いました。	ごぶさたしております。
病気の人と別れます。	お大事に。
お客さんにいすを勧めます。	どうぞおかけください。
お客さんに食べ物や飲み物を勧めます。	お口に合うかどうか。
先輩が自分を待っていました。	お待たせしました。
これから長い間会わない人と別れます。	お元気で。
旅行に行く人に会いました。	お気をつけて。

練習4

状況説明文と発話を聞いてください。3つの発話の中から最もよいものを1つ選んでください。
A18

(1) 1 2 3　　(2) 1 2 3　　(3) 1 2 3　　(4) 1 2 3

(5) 1 2 3　　(6) 1 2 3　　(7) 1 2 3　　(8) 1 2 3

えを見ながら質問を聞いてください。やじるし（→）の人は何と言いますか。1から3の中から、最もよいものを一つえらんでください。

(1) | 1 | 2 | 3 |

(2) | 1 | 2 | 3 |

問題形式と内容

質問、報告、依頼、あいさつなどの短い文を聞いた後、すぐにそれに合う答え方を考えます。

After you have listened to the short sentences consisting of questions, report statements, requests or greetings, you should think immediately of the way of answering them in a suitable manner.

此类题目会先给出一个表示提问、汇报、请求或是寒暄的短句，要求根据短句内容选择恰当的回答。

短い文を聞く	→	3つの選択肢を聞く	→	答えを選ぶ

◇聞き取りのポイント

1 だれの動作を表す表現かに注意する

2 敬語の表現に注意する

3 会話で使われる表現やあいさつの表現に注意する

4 間接的な答え方に注意する

1. Pay attention to the expression that indicates who performs the action.
2. Pay attention to expressions that indicate honorifics.
3. Pay attention to expressions that are used in colloquial language and expressions for greeting.
4. Pay attention to ways of answering in an indirect manner.

1 注意分辨是谁的动作
2 注意敬语表达方式
3 注意口语表达方式和寒暄用语
4 注意分析间接回答方式所表示的深层含义

1 だれの動作かに注意する

1-A 敬語

敬語を使う会話では、敬語の意味とだれの動作かに注意します。

In conversation using honorifics you should pay attention to the meaning of honorifics and to who performs the action.

遇到敬语表达方式，要搞清楚敬语表达方式所表示的意思以及它的动作主体是谁。

【一般的な形】

聞く人がする （尊敬語） (Respectful expressions) （尊他语）

- お 動詞ます になる 例 お使いになりますか。／お聞きになりませんか。
- お 動詞ます ください 例 お待ちください。／おかけください。
- お 動詞ます だ 例 お読みですか。／お帰りですか。
- ～（ら）れる 例 来られますか。／準備されましたか。
- ～ていただく 例 書いていただけませんか。（書く人＝聞く人）

話す人がする （謙譲語） (Humble expressions) （自谦语）

- お 動詞ます する 例 お持ちしましょう。／お渡しします。
- ～（さ）せていただく 例 休ませていただけませんか。（休む人＝話す人）

【特別な形】

普通の動詞	聞く人がする（尊敬語）	話す人がする（謙譲語）
する	なさいます	いたします
いる	いらっしゃいます	おります
行く／来る	おいでになります	まいります／うかがいます
聞く	（お聞きになります）	うかがいます
見る	ご覧になります	拝見します
言う	おっしゃいます	申し上げます
食べる／飲む	召し上がります	いただきます
もらう	（お取りになります　など）	
くれる・あげる	くださいます	さしあげます
知っている	ご存じです	存じています
会う	（お会いになります）	お目にかかります

丁寧な会話では次のような疑問詞が使われるので注意します。

Be careful as the following interrogative words may be used in polite conversation.

礼貌语体的会话中所使用的疑问代词也会有所不同，请注意。

・どちらから（＝どこから）いらっしゃいましたか。
・どちら様／どなた（＝だれ）でしょうか。　　・何名様（＝何人）ですか。

 練習１−A

文を聞いて、いい返事を選んでください。

例　（　ⓐ　・　b　・　c　）

(1) （　a　・　b　・　c　）　　(2) （　a　・　b　・　c　）

(3) （　a　・　b　・　c　）　　(4) （　a　・　b　・　c　）

(5) （　a　・　b　・　c　）　　(6) （　a　・　b　・　c　）

(7) （　a　・　b　・　c　）　　(8) （　a　・　b　・　c　）

(9) （　a　・　b　・　c　）　　(10) （　a　・　b　・　c　）

1-B 間違えやすい表現

誘いや申し出などの表現は、文脈に合わせて、だれの動作かを考えます。

In the case of expressions denoting invitation or offering, you should consider who performs the action according to the context.

遇到表示邀请、申请的表达方式，要注意结合上下文，判断动作主体究竟是谁。

表現	意味	だれがするか	会話例
～ましょう ～(よ)う	申し出 offer　申请	話す人がする	A：手伝いましょう。 B：お願いします。
	誘い・提案 invitation, suggestion　邀请、建议	一緒にする	A：そろそろ行こう。 B：うん、そうしよう。
～ましょうか ～(よ)うか	申し出 offer　申请	話す人がする	A：持ちましょうか。 B：すみません。
	誘い・提案 invitation, suggestion　邀请、建议	一緒にする	A：帰ろうか。 B：うん、帰ろう。
～ませんか ～ない？	勧め recommendation　劝告	聞く人がする	A：発表しませんか。 B：はい、頑張ります。
	誘い・提案 invitation, suggestion　邀请、建议	一緒にする	A：食事しない？ B：うん、そうしよう。

練習1-B

文を聞いて、いい返事を選んでください。

(例) （　a　・　ⓑ　）

(1)（　a　・　b　）　　(2)（　a　・　b　）

(3)（　a　・　b　）　　(4)（　a　・　b　）

(5)（　a　・　b　）　　(6)（　a　・　b　）

(7)（　a　・　b　）　　(8)（　a　・　b　）

2 会話でよく使われる表現に注意する

2-A 会話でよく使われる表現

会話では、省略など、書くときとは違う表現を使うことがあるので注意します。

In conversation you need to be careful because the expressions used may be different from written language and may contain abbreviations, for example.

会话中有可能使用不同于书面语的表达方式，也会有省略，需要注意。

表現	省略されない形・意味	例文
〜て 〜ないで	〜てください 〜ないでください	ちょっと、塩、取って。 あ、それ、触らないで。
〜たら（どう）？	〜たらどうですか	先生に聞いてみたら？
〜ないと	〜ないといけない	あ、大変。早く行かないと。
〜の？	〜のですか／〜んですか	パーティー、行かないの？
〜ように 〜ないように／〜ずに	〜ようにしてください 〜ないようにしてください	この紙を持ってくるように。 試験だから、遅れずにね。
〜（んだ）って	〜と言っていた	川本さん、来ないんだって。
〜って	〜というのは	弓道って、どんなスポーツ？
〜とか〜とか	〜や〜など	漢字とか敬語とかが難しい。
やる	する	まじめに仕事やろうよ。
いくつ	何歳	太郎君、いくつ？
なんで	どうして	なんで遅れたんですか。
何て	何と	さっき何て言ったの？

練習2-A

文を聞いて、いい返事を選んでください。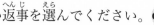

(1) （ a ・ b ）　　(2) （ a ・ b ）　　(3) （ a ・ b ）

(4) （ a ・ b ）　　(5) （ a ・ b ）　　(6) （ a ・ b ）

(7) （ a ・ b ）　　(8) （ a ・ b ）　　(9) （ a ・ b ）

(10) （ a ・ b ）

2-B 決まった答え方

あいさつなど、始めの文に対して答え方がだいたい決まっている文に注意します。

Be sure to note that in some phrases such as greetings the form of the answer to the phrase spoken first is more or less a standard phrase.

寒暄用语等通常有约定俗成的应答方式，需要注意。

始めの文	返事の文の例
お先に失礼します。	お疲れ様でした。
すみません。／失礼しました。	いいえ。／どういたしまして。
いらっしゃい。	おじゃまします。
おじゃましました。	またいらしてください。／ またいらっしゃってください。
ごめんください。	はい、どちら様ですか。／どなたですか。
お時間、ありますか。／ 今、ちょっとよろしいですか。	ええ、何でしょうか。
お元気ですか。	ええ、おかげさまで。
お世話になりました。	いいえ、こちらこそ。
どうぞおかけください。／お入りください。	失礼します。
どうぞごゆっくり。	ありがとうございます。
お口に合うかどうか。／ コーヒーでもいかがですか。	どうぞおかまいなく。／ いただきます。

練習2-B

文を聞いて、いい返事を選んでください。🅐23

(1) (a ・ b)　　(2) (a ・ b)　　(3) (a ・ b)

(4) (a ・ b)　　(5) (a ・ b)

質問や誘いに対して、答えをはっきり言わないで間接的に答えることがあります。その時は、答えの文が始めの文の内容とどのように関係しているかを考えます。

Sometimes questions and invitations may be answered in an indirect manner by giving a vague reply. You should focus attention on how the phrase given in answer relates to the content of the phrase spoken first.

对提问或邀请，有时会采用间接的回答方式。此类情况下，要认真分析该回答所表示的深层含义。

例 男：この本、読む？

女：(1)面白そうだね。(○) 〈読む〉

(2)漢字が難しいね。(○) 〈読まない〉

(3)1週間に2、3冊読んでるよ。(×)

(1) 「(この本は)面白そうだ」から＜読む＞という意味になり、返事になっています。

(2) 「(この本は漢字があって)漢字が難しい」から＜読まない＞という意味になり、返事になっています。

(3) 「1週間に2、3冊読んでる」は「この本」についてではなく、自分の読書習慣を答えているので、返事になりません。

このように、「はい」「いいえ」を直接言わない文も、正しい返事の文になります。

1. The comment 「(この本は)面白そうだ ([this book] seems to be interesting)」 can be interpreted to mean that because it looks interesting "I'll read it" – and so it can be a reply to the question "Will you read this book?".
2. The comment 「(この本は漢字があって)漢字が難しい ([this book contains a lot of Chinese characters (kanji) and] the many kanjis make the reading difficult)」 can be interpreted to mean "I won't read it – and so it can be a reply to the question "Will you read this book?".
3. The comment 「1週間に2、3冊読んでいる (I read two or three books a week)」 does not refer to 「この本 (this [specific] book)」 but refers to her reading habit, and so it cannot be a reply to the question "Will you read this book?".
In this manner, even phrases that do not directly say 「はい (yes)」 or 「いいえ (no)」 can become true statements in reply.

(1)"(这本书是)面白そうだ(这本书似乎挺有意思的)"，说明说话人"要看"，可以用于应答。
(2)"(这本书是汉字があって)漢字が難しい(这本书都是汉字，汉字很难)"，说明说话人"不看"，可以用于应答。
(3)"1週間に2、3冊読んでる(我每周看两到三本书)"并非就这本书进行阐述，而是介绍自己的读书习惯，因此此处不能用该句应答。
由上可见，即便是没有使用"はい(是)"、"いいえ(不)"的间接回答，也可以用于应答。

また、「いいよ」は肯定的な返事にも、否定的な返事にも使われるので注意します。

You should also be mindful of the fact that 「いいよ (all right)」 can be used both in affirmative and negative answers.

此外，"いいよ"既可以用于肯定回答，也可以用于否定回答，需要引起注意。

A
24
例1　女：ちょっと手伝ってよ。

男：いいよ。(↑) 何すればいい？

例2　女：上着着ていったら？

男：いいよ。(↓) そんなに寒くないから。

例1では後半の音を上げて言います。これは肯定的な返事で、「手伝う」という意味です。例2では後半の音を下げます。これは否定的な返事で「着ていかなくてもいい」という意味です。

In example 1, the last sound (syllable) of the answer is pronounced with a rising intonation. This makes the reply an affirmative one, meaning 「手伝う (Yes, I'll help [you].)」.
In example 2, the last sound (syllable) of the answer is pronounced with a falling intonation. This makes the reply a negative one, meaning 「着ていかなくてもいい (I don't have to put on a coat.)」.

例1后面用的是升调，表示肯定回答，即"手伝う（帮忙）"。
例2后面用的是降调，表示否定回答，即"着ていかなくてもいい（不用穿）"。

練習3
文を聞いて、いい返事を選んでください。 A25

(1) (a ・ b) 　　 (2) (a ・ b)

(3) (a ・ b) 　　 (4) (a ・ b)

(5) (a ・ b) 　　 (6) (a ・ b)

(7) (a ・ b) 　　 (8) (a ・ b)

(9) (a ・ b) 　　 (10) (a ・ b)

確認問題 A26
まず文を聞いてください。それから、そのへんじを聞いて、1から3の中から、最もよいものを一つえらんでください。

(1) | 1 | 2 | 3 |
(2) | 1 | 2 | 3 |

(3) | 1 | 2 | 3 |

問題形式と内容

　まとまりのある話から依頼や指示、提案などを聞き取り、これからするべきことを理解します。選択肢は文字または絵で問題用紙に印刷されているので、それを見ながら話を聞きます。

The problem is to listen carefully and pick up the requests, instructions and suggestions of a coherent conversation or spoken statement and to comprehend what should be done next. On the problem sheet, the choices are shown in written form or as illustrations. While looking at these, listen to what is being said.

此类题目会给出一段话，注意其中表示请求、指示、建议或其他的句子，判断要做的事项是什么。选项会用文字注明或给出插图，答题时可参考试卷册上各选项的文字说明或插图。

状況説明文と質問文を聞く	→	話を聞く	→	もう一度質問文を聞く

→ 問題用紙にある選択肢から答えを選ぶ

◇聞き取りのポイント

1　するべきことを聞き取る
2　指示や提案に対して同意しているかどうかを考える
3　するべきことがいくつかある場合は、その中で優先することを考える

1. Listen for what has to be done.
2. Consider whether or not the instruction or suggestion is assented to.
3. When there are many things that should be done, consider which takes precedence among them.

1 听清楚需要做的事项内容
2 判断说话人是否同意该指示或建议
3 如果需要做的事项有多项，需要从中选择最契合的

1 するべきことを考える

話の中に依頼や指示、提案、申し出などを表す表現（→23、27、33ページ）が出てきたら、するべきことかもしれないので注意します。

Be mindful of the fact that when there are expressions indicating a request or instruction, suggestion or offer in someone's utterance (see pages 23, 27 and 33), they may imply that some action should be done.

题目中表示请求、指示、建议、申请等的表达方式（请参考23、27、33页）前接的动词所表示的有可能就是需要做的事项，需要格外留意。

表現

- **依頼・指示**：　Request/Instruction　表示请求或指示的表达方式

  （悪いんだけど／すみませんが／申し訳ないんですが）

  〜て／〜てくれない？／〜ていただけますか／〜てもらえる？

- **提案**：　Suggestion　表示建议的表达方式

  〜てみたら／〜たらどう

- **誘い・提案**：　Invitation/Suggestion　表示邀请、建议的表达方式

  〜ましょうか／〜ませんか

- **申し出**：　Offer　表示申请的表达方式

  〜ましょうか／〜ておこうか／〜ますよ

上のような表現に対して同意する表現で答えていれば<u>するべきこと</u>、同意しない表現で答えていれば<u>しなくてもいいこと</u>になります。

When you reply by using an expression that signifies consent to something then you should do this something. When you reply with an expression signifying that you do not consent then you need not do it.

对使用了上述表达方式的句子的回答中如果使用了表示同意的表达方式，则上述表达方式前面接的动词所表示的就是需要做的事项；如果使用了表示不同意或拒绝的表达方式，则表示该动词所表示的事项不需要做。

同意する	同意しない
うん／いいね／そうだね／よろしく／わかった／お願い／頼むね	うーん／そうかな／それはちょっと／それはどうかな／そのまま（にして）

また、以下の表現も、するべきことを聞き取る手がかりです。これらは、するべきことについて自分から提案したり意見を言ったりするときにも使います。また、相手の言ったことに同意する／しないときにも使います。

Moreover, the expressions below are going to be hints to identify the actions that should be done. These expressions can be used both when you yourself suggest something and state an opinion and also when you assent/do not assent to what the other person has said.

判断应做事项时，要留心下列表达方式。这些表达方式既可以用于提出自己的建议或表达自己的观点，也可以用于向对方表示同意或反对。

$\boxed{\text{表現}}$

・するべきこと：〜なきゃ／〜なくちゃ／〜ないと／〜が要る／必要／〜たほうがいい

・しなくてもいいこと：〜（は）いい／要らない／大丈夫／〜なくてもいい

　　　　　　　　　　　もう〜てある／もう〜ている／（昨日／さっき）〜た

⭐ 例題1−1

会話を聞いてください。女の人はこれからどうしますか。

(1) （　　運ぶ　・　運ばない　　）

(2) （　　返す　・　返さない　　）

答え (1)運ばない　(2)返す

(1)女の人が「運んでお（く）」ことを申し出ましたが、男の人は「それはいいよ」、つまり、しなくてもいいと言っています。

(2)「返さないと」はこれからするべきことを表す表現で、女の人はそれに同意しています。

(1) Although the woman offers help saying 「運んでお（く）」([Shall I] carry it for you)」, the man says 「それはいいよ (that's OK)」, meaning "I can do without (your help)".
(2) The phrase 「返さないと (you must return [it])」 is an expression indicating something the woman has to do soon and she agrees to do it.

(1)会话中的女女士表示想要帮着"運んでお（く）(搬)",但是男士用"それはいいよ(不用了)"表示了拒绝,因此"搬"这个动作不属于需要做的事项。
(2)"返さないと(得还给人家)"表示"还(书)"的动作应该做，女士对此表示同意，因此前面的"还(书)"的动作属于需要做的事项。

スクリプト

(1)　女：これ、あっちに運んでおこうか。

　　男：あ、それはいいよ。

(2)　男：この本、あした返さないと。

　　女：うん、わかった。

練習 1-1

会話を聞いてください。女の人はこれからどうしますか。

(1)　（　　入れる　　・　入れない　　　　）

(2)　（　　並べる　　・　並べない　　　　）

(3)　（　　片付ける　・　片付けない　　　）

(4)　（　　連絡する　・　連絡しない　　　）

(5)　（　　持っていく　・　持っていかない　）

するべきかどうかについて意見を言うとき、「〜んじゃない？」を使うことがあります。これは「〜だと思う」という意味です。この表現も、自分から提案や注意をするときや、相手の言ったことに同意する／同意しないときに使います。文の終わりのイントネーションに気をつけます。

The phrase 「〜んじゃない？ (doesn't it?)」 is used for stating an opinion, meaning "I believe so". This expression can be used both when you yourself suggest something and state an opinion and also when you assent/do not assent to what the other person has said. Be sure to pay attention to the intonation at the end of the phrase.

就"是否应当（做某事）"而阐述意见时，有时可使用"〜んじゃない？"，它表示"我认为〜"。它既可以用于提出自己的建议、提醒对方，也可以用于向对方表示同意或反对，碰到该表达方式时，要注意句尾用的是升调还是降调。

A29 例1 A：帽子、持っていったほうがいいかな。
B：必要ないんじゃない？　（＝必要ではないと思う）

例2 A：これ、あっちに持っていこうか。
B：置いといていいんじゃないかな。　（＝置いておいていいと思う）

例3 A：チケット、忘れてるんじゃないの？　（＝忘れていると思う）
B：本当だ。持っていかなきゃ。

⭐ **例題1−2**

会話を聞いてください。男の人はこれからどうしますか。

(1)　（　　予約する　・　予約しない　　）

(2)　（　　電話する　・　電話しない　　）

答え (1)予約しない (2)電話する

(1)女の人は「しなくてもいい」と思うと言って、男の人に同意していません。

(2)女の人は「そうしたほうがいい」と思うと言って、男の人に同意しています。

1. The woman says she believes「しなくてもいい (it's not necessary to be done.)」and this means that she does not agree with the man.
2. The woman says she believes「そうしたほうがいい (it's better to do that.)」and this means that she agrees.

(1)女士使用了"しなくてもいい(不必)"，表示她不同意男士的观点。
(2)女士使用了"そうしたほうがいい(这样做比较好)"，表示她同意男士的观点。

スクリプト

(1) 男：予約しておきましょうか。

　　女：しなくてもいいんじゃないかな。

(2) 男：田中さんにも電話しとく？

　　女：ああ、そうしたほうがいいんじゃない？

練習1-2

会話を聞いてください。男の人はこれからどうしますか。

(1) これを　　（　　洗う　　・　　洗わない　　）

(2) ネクタイを（　　あげる　　・　　あげない　　）

(3) どこかに　（　　運ぶ　　・　　運ばない　　）

(4) 佐藤さんを（　　誘う　　・　　誘わない　　）

(5) エアコンを（　　つける　　・　　つけない　　）

ステップアップ問題　例題1

話を聞いて、質問の答えとして合うものを1つ選んでください。

1　お金

2　図書カード

3　タオルとお茶

4　タオルとコーヒー

答え 4

「お金」という提案には男の人が同意していません。「図書カード」には女の人が同意していません。「去年はタオルとお茶だった」ので、今年も「同じ」にすると言っていますが、「お茶よりはコーヒーがいい」と言っています。

The man does not agree with the woman's suggestion of 「お金 (money)」. The woman does not agree with the 「図書カード (book token)」. Because he had said that 「去年はタオルとお茶だった (last year it was a towel and tea)」 she did at first say let's have the 「同じ (same)」 also this year but changed her mind saying 「お茶よりはコーヒーがいい (coffee would be better than tea)」.

"お金（钱）"的选项男士不同意，"図書カード（图书卡）"的选项女士不同意，都可以先排除。至于"タオルとお茶（毛巾和茶）"的选项，因为他们俩说"去年はタオルとお茶だった（去年是毛巾和茶）"，刚开始也说今年可以考虑和去年"同じ（一样）"，但后面又表示说"お茶よりはコーヒーがいい（咖啡比茶好）"。

スクリプト

男の人と女の人が会社でスポーツ大会の賞品について話しています。女の人は賞品を何にしますか。

男：スポーツ大会の賞品の係、君だったよね。優勝チームの賞品、もう決めた？

女：うーん、何がいいかよくわからなくて。ね、お金はどうかな。

男：それはつまらないんじゃないの？　それなら、図書カードか何かの方がいいと思うけど。

女：うーん、今、みんなあまり本、読まないでしょう？

男：そうだなあ。去年はタオルとお茶だったよね。

女：じゃ、去年と同じにしようかな。

男：それなら、飲み物はお茶よりビールの方がいいな。コーヒーでもいいし。

女：ビールは飲まない人もいるんじゃない？　でも、お茶よりはコーヒーがいいかもね。じゃ、そうしよう。

ステップアップ問題1

話を聞いて、質問の答えとして合うものに○をつけてください。

(1) A33

ア　カメラ

イ　電池

ウ　水着

エ　帽子

オ　ビデオ

1　ア　ウ

2　ア　イ　エ

3　イ　ウ

4　イ　エ　オ

(2) A34

1 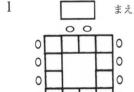　まえ

2 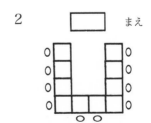　まえ

3 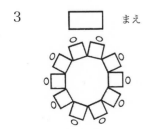　まえ

4 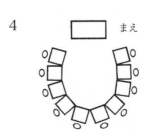　まえ

(3)

    1   バーベキューの道具

    2   キャンプ用のコップと皿

    3   紙皿と紙コップ

    4   食べ物と飲み物

(4)

ア 質問の紙   イ ペン   ウ お菓子

エ 飲み物   オ お弁当

    1   ア イ

    2   ア イ ウ

    3   ア ウ エ

    4   ウ エ オ

(5)

    1   500円

    2   700円

    3   800円

    4   900円

最初にすることを考える

質問で「まず何をするか」と聞いている場合は、「最初にすること」や「する順番」を表す表現に注意します。

When you hear the question "What will you do first?", pay attention to the expressions indicating "doing first" and "order of doing".

如果问句问的是做事的次序，则要注意表示"最先做什么"及其他表示做事次序的表达方式。

表現

- 最初にすること： 　Doing first　　表示最先做什么的表达方式

　　　　　まず／最初に／はじめに

- 早くすること： 　Doing quickly　　表示先做什么的表达方式

　　　　　先に／今すぐ／すぐに／急いで

- 後ですること： 　Doing later　　表示后做什么的表达方式

　　　　　後で／最後に／～は後でいい

- する順番　X→Y： 　Order of doing　　表示次序的表达方式

　　　　　XてからY／Xの後でY／XたらY

　　　　　X。それからY

　　　　　Yの前にX

☆ 例題2

話を聞いて、質問の答えとして合うものを1つ選んでください。

　　1　マイクを準備する
　　2　商品を並べる
　　3　名札を並べる
　　4　資料を運んでおく

答え 3

「マイク」は「後で借りてきます」と、「名札」は「今やります」と言っていますから、この後すぐ名札を並べます。「商品」「資料」は準備が終わっています。

After she has said that she 「後で借りてきます (will go later to borrow)」「マイク (the microphones)」and that she 「今やります (will now do)」「名札 (the aligning of the name cards)」, she will align them immediately after this. She is finishing the preparations for the placement of the 「商品 (products)」and 「資料 (materials)」.

"マイク（麦克风）"表示说"後で借りてきます（回头去借回来）"，而"名札（名牌）"却是"今やります（马上就做）"，因此可以判断接下来马上要做的是"名札を並べる（摆名牌）"。至于"商品（产品）"和"资料（资料）"都已准备妥当，因此都可以排除。

スクリプト

女の人と男の人が新商品の発表会の準備をしながら話しています。女の人はこの後すぐ何をしなければなりませんか。

女：あの、マイクは発表者用と、司会者用の2本でよろしいでしょうか。

男：あー、質問者用にもう1本、後ろに用意しておいたほうがいいね。

女：わかりました。じゃ、後で借りてきます。

男：えーと、もう商品は見ていただけるように置いてあるし……あ、名札はどうなってる？　先に並べておかないと……。

女：あ、ここにあるので、今やります。それから、資料はもうまとめて受付のところに置いておきました。

男：そう。ありがとう。じゃ、僕はちょっと新聞社の人に電話してくるよ。

練習2

話を聞いて、質問の答えとして合うものを1つ選んでください。

(1) ⒶＡ39
1 いすを片付ける
2 お皿を運ぶ
3 テーブルをふく
4 ごみを外に出す

(2) ⒶＡ40
1 松下さんに連絡する
2 松下さんに書類を渡す
3 書類をコピーする
4 会議の資料を作る

(3) ⒶＡ41
1 写真や絵を探す
2 カードの色を選ぶ
3 写真や絵をはる
4 あいさつの言葉を書く

(4) ⒶＡ42
1 コンビニで荷物を送る
2 猫にえさをやる
3 スーパーでしょうゆを買う
4 木村さんの住所を調べる

(5) ⒶＡ43
1 作文を直す
2 メモを作る
3 自己紹介をする
4 紙に感想を書く

✽ 確認問題 (A44)

まず質問を聞いてください。それから話を聞いて、1から4の中から、最もよいものを一つえらんでください。

(1) (A45)

チェックリスト		
☐	食料	─ ア
☐	水	─ イ
☐	懐中電灯	─ ウ
☐	毛布	─ エ
☐	ラジオ	─ オ

1　ア　イ　ウ

2　ア　イ　エ

3　イ　ウ　オ

4　ウ　エ　オ

(2) (A46)　1　先生に連絡する
　　　　　　2　絵本を借りる
　　　　　　3　ビデオの準備をする
　　　　　　4　会場の準備をする

(3) (A47)　1　エアコンを入れる
　　　　　　2　ノートにサインする
　　　　　　3　コーヒーをいれる
　　　　　　4　昼ご飯の予約をする

問題形式と内容

まとまりのある話を聞いて、出来事の理由、目的や話し手の気持ちなど、はじめに質問文で指示されたポイントを聞き取ります。
選択肢は印刷されていて、話を聞く前に読む時間があります。

The problem is to listen to a coherent conversation or spoken statement and to catch the points indicated at the beginning in the question text, the reason for and the purpose of the event and the feelings of the speakers.
The choices are printed and before listening to the conversation there will be time for reading them.

此类题目会先给出一个提问，然后才给出一段话。要搞清楚提问中的要点所在，是问原因、目的还是说话人的态度，听题的时候多多留意相关信息。
在听题之前，有时间可供参考试题册上给出的各个选项的内容。

状況説明文と質問文を聞く	→	問題用紙にある選択肢を読む

→ 話を聞く → もう一度質問文を聞く → 選択肢から答えを選ぶ

◇聞き取りのポイント

1 選択肢と同じ言葉が出てくる部分に特に注意して聞く
2 答える文で言いたいこと（肯定的か否定的か）を考える
3 追加情報に注意する

1. Listen carefully particularly for the part where a word that is the same as in the choices is used.
2. Consider what the speaker wants to say in reply (affirmative or negative).
3. Pay attention to additional information.

1 对于题目中使用了与选项中相同的表达方式的内容要特别留意
2 要认真判断答句所表示的意思（是肯定还是否定）
3 要留心附加信息

選択肢をよく読んでから話を聞きます。話の中に選択肢と同じ言葉、または同じ意味の言葉が出てきたら、その部分を特に注意して聞き取ります。

After you have carefully read through the choices you will hear the conversation. When the words that are the same as those in the choices or words that have the same meaning as them appear in the conversation, be sure to listen with particular attention to catch these parts.

听题之前要先认真阅读各选项的内容。题目中使用了与选项中相同的表达方式或是同义表达方式的部分，要特别引起注意。

最も大切なこと（「一番の目的は〜」「何が最も〜」など）を聞く質問の時は、次のような表現にも注意します。

When you are asked in the questions what is most important (「一番の目的は〜 (the first-of-all reason…)」「何が最も〜 (What is most…)」) focus attention also on the following expressions.

提问如果是问最怎样怎样的是什么，如"一番の目的は〜（主要目的是〜）"、"何が最も〜（什么最〜）"等，则同时需要留意下面的表达方式。

表現

・一番： 　First, the most　　表示"最怎样怎样"的表达方式

　　　　　最も／特に／最高

・比べる： 　Comparing　　表示"比较"的表达方式

　　　　　〜より／それより／もっと〜のは

☆ 例題1

状況説明文と質問文を聞いてから、選択肢を読んでください。それから話を聞いて、答えになるものに○、ならないものに×を書いてください。Ⓐ48

　　1　今週の金曜日　　　（　　　　　）

　　2　今週の木曜日　　　（　　　　　）

　　3　来週の月曜日　　　（　　　　　）

　　4　再来週の月曜日　　（　　　　　）

答え 1 × 　2 ○ 　3 × 　4 ×

　質問は「いつ本を返す(か)」です。選択肢の言葉に注意して聞くと、「今週の金曜日」は「行けなくなっ(た)」と言っているので違います。その後、「今週の木曜日」は「夕方」に「うかがってもいいでしょうか」と言っているので、これが答えです。「来週の月曜日」は「祝日でお休み」、「再来週の月曜日」は「遅すぎる」ので、どちらも違います。

　このように選択肢の言葉の部分に注意すると、聞くべきポイントがつかみやすくなります。

The question is「いつ本を返す(か) (when will you return the book?)」. When you listen attentively to the words in the choices you will find that「今週の金曜日 (Friday this week)」is wrong because she says「行けなくなっ(た) (it has become impossible for me to go)」. After this, she says that will it be「うかがってもいいでしょうか (convenient to visit you?)」「夕方 (in the evening)」on「今週の木曜日 (Thursday this week)」, and so this is the correct answer.「来週の月曜日 (Monday next week)」will be「祝日でお休み (no seminar because it falls on a holiday)」and「再来週の月曜日 (Monday the day after next)」will be「遅すぎる (too late)」are both wrong.

In this manner listening attentively to the parts that contain words from in the choices make it easy to catch the points you should listen to.

提问是问"いつ本を返す(か)(什么时候还书)",题目中涉及到各选项内容的部分要仔细听。选项"今週の金曜日(这个礼拜五)"因为有"行けなくなっ(た)(去不了了)",所以可以排除。后面提到选项"今週の木曜日(这个礼拜四)"时说"夕方うかがってもいいでしょうか(傍晚去可以吗)",因此可以确定它为正确答案。至于选项"来週の月曜日(下个礼拜一)"因为"祝日でお休み(放假不上课)",选项"再来週の月曜日(下下个礼拜一)"则"遅すぎる(太晚了)",因此都可以排除。

如上可见,提前参考各选项的内容,容易抓住题目中的关键词。

スクリプト

留守番電話を聞いています。この女の人はいつ本を返すと言っていますか。

女：もしもし、杉内です。借りていた本のことなんですけど、<u>今週の金曜日</u>に返す約束でしたが、ちょっと<u>行けなくなって</u>しまったんです。それで、<u>前の日の木曜日の夕方</u>、アルバイトの帰りにお宅にうかがってもいいでしょうか。留守だったら、ポストに入れておきます。月曜日のゼミの時にともも思ったんですが、来週は祝日でお休みなんですよね。<u>再来週</u>だと遅すぎるので……どうもすみません。

練習1

状況説明文と質問文を聞いてから、選択肢を読んでください。それから話を聞いて、答えになるものに○、ならないものに×を書いてください。

(1) (A 49)　1　アルバイトに行くから　　　　　（　　　　）

2　アルバイトの面接があるから　（　　　　）

3　先生と会うから　　　　　　　（　　　　）

4　授業があるから　　　　　　　（　　　　）

(2) (A 50)　1　太くておいしい　　　　　　（　　　　）

2　細すぎて甘くない　　　　　（　　　　）

3　葉が大きい　　　　　　　　（　　　　）

4　味がはっきりしない　　　　（　　　　）

(3) (A 51)　1　体の具合が悪いから　　　　　（　　　　）

2　電車が止まっているから　　　（　　　　）

3　事故があったから　　　　　　（　　　　）

4　仕事が終わらないから　　　　（　　　　）

(4) (A 52)　1　長いスピーチを覚えること　　　（　　　　）

2　スピーチのテーマを決めること　（　　　　）

3　日本語でスピーチを書くこと　　（　　　　）

4　人の顔を見ながら話すこと　　　（　　　　）

(5) (A 53)　1　仕事で問題があったこと　　　　　　（　　　　）

2　言葉がわからなかったこと　　　　　（　　　　）

3　料理が口に合わなかったこと　　　　（　　　　）

4　シャワーのお湯が出なかったこと　　（　　　　）

話す人は自分の気持ちをはっきりした表現で言わないこともあります。答える文で言いたいこと(肯定的か否定的か)を考える手がかりとして、次のようなことを学習しました。

Sometimes speakers may not tell their feeling in clear expressions. We have learned the following as a clue for thinking about what we want to say (either affirmative or negative).

说话人有时并不直接表述自己的心情或态度。熟悉下列表达方式，将帮助我们更好地理解间接回答所表示的深层含义(是肯定还是否定)。

・同意するかどうかを示す表現　（39ページ）

Expressions indicating whether to agree or not　表示同意与否的表达方式

・間接的な答え方　（36ページ）

Indirect way of answering　间接的回答方式

ここでは、さらに次の表現に注目します。

Be even more attentive towards the following expressions here.　下面的表达方式也需要引起注意

(1)「～けど。／～から。／～て。／～し。／～ので。」などで終わる文

例1　A：あの店、入ろうか。　B：休みたいしね。　（肯定的：入る）

例2　A：あの店、入ろうか。　B：休みたいけど……。（否定的：入らない）

(2)「～なら／～ば／～たら……けど」

（実際と違う状況を示す）

(Situation different from reality)　（表示与实际情况相反的表达方式）

例3　A：英会話学校に通うの？

　　　B：学生時代に勉強していれば、必要ないんだけど。

　　　（肯定的：勉強していなかったので、通わなければならない）

例4　A：この服、似合うんじゃない？

　　　B：背が高い人ならいいと思うけど。（否定的：背が低い自分には似合わない）

☆ 例題2-1

会話を聞いてください。女の人は何が言いたいですか。

(1)　1　行きたい　　　　2　行きたくない

(2)　1　食べる　　　　　2　食べない

答え (1) 2　(2) 2

(1)「(歌が) あんまり上手じゃない」ということを、理由を表す「から」をつけて伝えています。これは「だから行きたくない」という意味です。このように、相手にとって残念な答えの時は、はっきり答えを言わないで、理由だけを伝えることが多くあります。

(2)「〜ば……けど」を使って、実際とは違う状況を示しています。実際は「おなかがいっぱいなので、食べたくない」という意味です。

(1) She relates her being「(歌が) あんまり上手じゃない (not very good at [singing])」by using「から (because)」to indicate the reason why. This means「だから行きたくない (because of it I don't want to go)」. In this manner it often happens that when the answer is disappointing to the other person one does not give a precise answer and only states the reason.
(2) She uses「〜ば……けど (if〜but ……)」to indicate a situation that is different from reality; it means because I am full I don't want to eat.

(1)回答中使用的表达方式是"(歌が) あんまり上手じゃない(不太会唱歌)"后面接表示理由的"から"，这其实就是说"だから行きたくない(所以我不想去)"。如果某个回答是听话人所不愿意听到的，那么通常都不直接说，而只是列举理由。
(2)"〜ば……けど"表示与现实情况相反的情况，它实际想表达的意思是"已经吃饱了，不想吃"。

スクリプト

(1)　男：カラオケ、行かない？

　　　女：わたし、あんまり上手じゃないから……。

(2)　男：これ、食べないの？

　　　女：おなかいっぱいじゃなければ、食べたいんだけど。

練習2-1

会話を聞いてください。女の人は何が言いたいですか。B 02

(1) 1 テニスをするのは好きだ　2 テニスをするのは好きではない

(2) 1 面白い　　　　　　　　2 面白くない

(3) 1 買う　　　　　　　　　2 買わない

(4) 1 行く　　　　　　　　　2 行かない

(5) 1 している　　　　　　　2 していない

(6) 1 片付けてほしい　　　　2 片付けなくてもいい

(7) 1 コーヒーを飲みたい　　2 コーヒーを飲みたくない

(8) 1 おいしいから行く　　　2 おいしいから行くのではない

(9) 1 買う　　　　　　　　　2 買わない

(10) 1 行った　　　　　　　　2 行かなかった

例題2-2

状況説明文と質問文を聞いてから、選択肢を読んでください。それから話を聞いて、答えに
なるものに○、ならないものに×を書いてください。B 03

　　1 ネクタイ　　　　　　（　　　　）

　　2 お酒　　　　　　　　（　　　　）

　　3 ジョギング用の靴　　（　　　　）

　　4 ジョギング用の服　　（　　　　）

答え 1×　2×　3×　4○

　選択肢の物が出てきた部分に注意して聞き、肯定しているか否定しているかを考えます。「着る物」と「靴」は「いいね」と言って肯定していますが、その中で「靴はサイズが難しい」と言って否定しているので、「着る物＝服」だけが答えになります。

Listen attentively to the parts in which the things given in the choices appear and consider whether statements are in the affirmative or negative. Although the speaker says that「着る物 (clothes)」and「靴 (shoes)」are「いいね (good)」in a positive tone, he also says,「靴はサイズが難しい (It is difficult to find suitable size shoes)」in a negative tone. Therefore,「着る物＝服 (clothes)」is the only correct answer.

题目中涉及到选项中出现的事物的部分要仔细听，准确判断与该事物有关的事项是被肯定了还是被否定了。对于"着る物（衣服）"和"靴（鞋）"，说话人都说"いいね（不错）"，即表示了肯定。随后，说话人又说道"靴はサイズが難しい（鞋要大小合适，不好安排）"，即进行了否定，因此只有"着る物＝服（衣服）"是正确选项。

＜プレゼント＞		＜話したこと＞
1　ネクタイ	（否定）←	ほとんどしなくて
2　お酒	（否定）←	去年もそうだった
3　ジョギング用の靴	（否定）←	靴はサイズが難しい
4　ジョギング用の服	（肯定）←	いいね

スクリプト

女の人と男の人がお父さんへのプレゼントについて話しています。女の人は何をあげることにしましたか。

女：来週、うちの父の誕生日なんだけど、プレゼント、何がいいかなあ。

男：お父さんか。僕ならネクタイかな。

女：あー、うちの父、仕事に行くときもほとんどしなくて……。

男：そうか。じゃ、お酒とか？

女：お酒は喜んでくれると思うんだけど、でも、去年もそうだったしねえ。

男：そうなんだ。お父さん、何か趣味ないの？

女：あ、最近、ジョギングを始めたみたい。

男：じゃ、走るときにはく靴とか着る物なんていいんじゃない？

女：いいね。靴はサイズが難しいから……、うん、決めた。ありがとう！

練習2－2

状況説明文と質問文を聞いてから、選択肢を読んでください。それから話を聞いて、答えになるものに○、ならないものに×を書いてください。

(1) B04　1　ピアノ　　　　　　　（　　　　　）

　　　　　2　ダンス　　　　　　　（　　　　　）

　　　　　3　水泳　　　　　　　　（　　　　　）

　　　　　4　ダイビング　　　　　（　　　　　）

(2) B05　1　海で遊ぶため　　　　　（　　　　　）

　　　　　2　観光するため　　　　　（　　　　　）

　　　　　3　結婚式に出るため　　　（　　　　　）

　　　　　4　買い物をするため　　　（　　　　　）

(3) B06　1　田中君に借りる　　　　　（　　　　　）

　　　　　2　加藤さんから受け取る　　（　　　　　）

　　　　　3　鈴木さんに借りる　　　　（　　　　　）

　　　　　4　田中君の弟のを使う　　　（　　　　　）

(4) B07　1　切符が安いから　　　　　　（　　　　　）

　　　　　2　すいているから　　　　　　（　　　　　）

　　　　　3　ゲームをしたいから　　　　（　　　　　）

　　　　　4　女の人と一緒にいたいから　（　　　　　）

(5) B08　1　医者に言われたから　　　　　（　　　　　）

　　　　　2　妻に言われたから　　　　　　（　　　　　）

　　　　　3　体が重いと動きにくいから　　（　　　　　）

　　　　　4　新しい服を買いたくないから　（　　　　　）

3　追加情報に注意する

　相手の言ったことを一度認めた後で違う意見を言ったり、途中で情報を付け加えたりすることがあります。そのような時に使う次のような表現に注意しながら、話を最後まで聞いて答えを選びます。

It does happen that people will give a different opinion after they have once agreed with what the other person has said or add information in the middle of the conversation. Listen through to the end of the conversation while focusing attention on the following expressions that are used on such occasions and select the appropriate answer.

有时对对方所讲的事情会先肯定再进行否定，或是再补充一些信息。这时，不要急于选择，一定要听到最后再选择正确答案。先肯定再否定或再修正时，常用到下列表达方式。

表現

・相手の意見を認めた後で、反対する意見や大切な情報を言う：

　　Raising opposition or stating important information after having admitted the opinion of the other person

　　对对方的意见先表示肯定，再进行否定或是再补充重要信息时使用的表达方式

　　　　それはそうだけど／そうなんだけど／うん。でも／たしかに～けど

・特に説明したいことを言う：

　　Saying things one particularly wants to explain

　　表示说话人特别强调的事项的表达方式

　　　　　　実は／それが／やっぱり／それより

☆ 例題3

状況説明文と質問文を聞いてから、選択肢を読んでください。それから話を聞いて、答えになるものに○、ならないものに×を書いてください。 🎧B09

　　1　仕事で使うため　　　　（　　　　）
　　2　中国に行くため　　　　（　　　　）
　　3　友達と話すため　　　　（　　　　）
　　4　歌の意味を知るため　　（　　　　）

答え 1× 2× 3× 4○

「仕事」で「役に立つ」と言われて、女の人は「たしかに」「使えるぐらいになれればいい」と認めましたが、「単に趣味」なので、1は違います。2は「飛行機苦手」と言っているので違います。3の「友達」は「チャンスでもあればいいんですけど（＝チャンスがない）」と言っているので、いません。

Having said 「役に立つ (useful)」 for 「仕事 (work)」, the woman goes on to admit it would 「たしかに (certainly)」 be 「使えるぐらいになれればいい (fine if one progressed as far as to be able to use it)」, but thereupon she notes 「単に趣味 (it's only a hobby)」 – and so choice 1 is wrong. Choice 2 is also wrong because she remarks that she is 「飛行機苦手 (a poor air traveler)」. 「友達 (the friends)」 mentioned in choice 3 do not yet exist because she admits she has no chance by saying 「チャンスでもあればいいんですけど (it would be nice if there were a chance but…)」 [＝チャンスがない no chance].

当被问到是不是为了"仕事で役に立つ(方便工作)"，她先用"たしかに(的确是)"、"使えるぐらいになれればいい(要是能达到那个水平自然是好)"表示肯定，但随后用"単に趣味(只是出于兴趣)"进行了否定，因此选项1可以排除。选项2因为她表示"飛行機苦手(不喜欢坐飞机)"，因此也可以排除。至于选项3的"友達(朋友)"，题目中说"チャンスでもあればいいんですけど(＝チャンスがない)(要是有这个机会的话当然是好＝没有这个机会)"，因此也可以排除。

スクリプト

会社で男の人と女の人が話しています。女の人が中国語を勉強している目的は何ですか。

男：あれ？　松本さん、中国語、勉強してるの？

女：あ、ちょっとだけ……。

男：最近、うちの会社も中国の人と仕事をする機会が増えたし、これからは役に立つだろうね。中国語ができれば、旅行にも行けるし。

女：あー、わたし、飛行機苦手なんで……。まあたしかに仕事で使えるぐらいになれればいいでしょうけど、わたしの場合は、単に趣味で……。

男：へえ。中国人の友達でもできたの？

女：そういうチャンスでもあればいいんですけど。実は最近、中国のお土産でCDをもらったんですけど、それがすごくいいんです。音楽だけじゃなくて、意味を知りたいなって思って……。

練習3

状況説明文と質問文を聞いてから、選択肢を読んでください。それから話を聞いて、答えになるものに○、ならないものに×を書いてください。

(1) B10　1　さくら　　　（　　　　）

　　　　　2　ローズ　　　（　　　　）

　　　　　3　ゆり　　　　（　　　　）

　　　　　4　リリー　　　（　　　　）

(2) B11　1　料理がおいしかったこと　　　　　　（　　　　）

　　　　　2　相手の人が素敵だったこと　　　　　（　　　　）

　　　　　3　有名な歌手の歌が聞けたこと　　　　（　　　　）

　　　　　4　友達が幸せそうだったこと　　　　　（　　　　）

(3) B12　1　少し歩きたいから　　　　　　（　　　　）

　　　　　2　ランチが割引になるから　　　（　　　　）

　　　　　3　コーヒーがおいしいから　　　（　　　　）

　　　　　4　雑誌が安く買えるから　　　　（　　　　）

(4) B13　1　たくさん歩いて疲れたから　　　　　（　　　　）

　　　　　2　犬が歩こうとしなかったから　　　　（　　　　）

　　　　　3　犬がほかの犬とけんかしたから　　　（　　　　）

　　　　　4　おばあさんと言われたから　　　　　（　　　　）

(5) B14　1　母親が作ったものを食べたくないから　　　（　　　　）

　　　　　2　友達が皆コンビニで買うから　　　　　　　（　　　　）

　　　　　3　弁当箱が大きすぎるから　　　　　　　　　（　　　　）

　　　　　4　コンビニ弁当の方がおいしいから　　　　　（　　　　）

✳ 確認問題 Ⓑ15

まず質問を聞いてください。そのあと、せんたくしを見てください。読む時間があります。
それから話を聞いて、1から4の中から、最もよいものを一つえらんでください。

(1) Ⓑ16　1　引っ越し会社

2　水泳教室

3　英語教室

4　ホテル

(2) Ⓑ17　1　市をきれいにするため

2　体を動かすため

3　外国人の友達を作るため

4　市のことを知るため

(3) Ⓑ18　1　交通が便利な所だから

2　会社から泊まるお金がもらえないから

3　次の日に会社で仕事があるから

4　次の日に家の用事があるから

問題形式と内容

　まとまりのある話を聞いて、全体として言いたいことや話す人の意図などを理解します。話の前に質問はありません。

Listen to a coherent conversation or spoken statement and try to understand what the speaker wants to say as a whole and what his/her intentions are. There will be no questions before listening to the conversation or spoken statement.

这类题目先给出一段话，听完之后才给出提问及选项。做这类题目，需要从整体上把握该段话的内容及说话人的意图所在。

| 状況説明文を聞く | → | 話を聞く | → | 質問文と選択肢を聞く | → | 答えを選ぶ |

◇聞き取りのポイント

1　話題をつかみ、全体として言いたいことを理解する

2　前置きの表現を手がかりに、話す人の意図を考えながら聞く

3　意見や主張を話すときの話のパターンに慣れる

1. Catch the subject and try to understand what the speaker wants to say on the whole.
2. Listen while thinking of the intentions of the speaker taking the preliminary expressions as a clue.
3. Get used to the pattern of speaking when stating opinions and making assertions.

1　从整体上把握该段话的话题及大意
2　留心谈话中的开场白部分，注意分析说话人的意图
3　熟悉表示观点及主张的表达方式

話題をつかみ、全体として言いたいことを考える

話を始めるとき、はじめに話題を知らせることがよくあるので、下のような表現に注意して、まず話題をつかみます。そして、内容を予想しながら、その後の話を聞いて、全体として言いたいことを考えます。

It is quite normal practice to make the subject known first at the beginning of a talk. Focus attention on the expressions below to get a good grasp of the subject first. And then listen to the talk while anticipating the contents and consider the contents as a whole.

日语中在开始说话之前常常会先提示话题，题目中出现下面列出的用于提示话题的表达方式时，要格外注意，以准确把握该段话的话题。把握话题可以帮助我们对下面的内容进行预测，以更好地理解它整体所要表示的意思。

表現

・話題を知らせる：　Making the subject known　用于提示话题的表达方式

最近、～が増えています／よく～ています

～（こと）があります／よく～（こと）があります

～をご紹介します

これは～です／ここは～です

～を知っていますか／ご存じですか

☆ 例題1

話を聞いて、①②③に答えてください。 B19

① 何の話ですか。

1　いい石けん

2　手作り石けん

3　石けんに入っている物

② ①についてどんな話をしていますか。

1　作る人が増えている

2　安心して使える

3　色と香りがよい

③ もう一度話を聞いてください。その後で質問に答えてください。 B19 B20

| 1 | 2 | 3 |

答え ①2　②1　③2

最初に「自分で石けんを作れる」と言っています。これが今から話したいことです。それについて、「手作りする方が増えている」と言って、それに続けて「理由を聞いてみると」「好きなようにでき」「材料を自分で選べるのがいい」と言っています。ですから、話全体で言いたいことは、石けんを手作りする理由です。

First she says「自分で石けんを作れる (one can make soap by oneself)」. This is what she wants to talk about from this moment onwards. On this topic she says「手作りする方が増えている (there are more and more people making their own soap)」and then continues to note that「理由を聞いてみると (when one inquires after the reasons)」it can be seen「好きなようにでき (that you can make it the way you like)」and「材料を自分で選べるのがいい (that you can choose the materials yourself)」. Therefore, what she wants to say in her talk as a whole is to give the reason for making soap by oneself.

这段话中刚开始的时候就提到"自分で石けんを作れる(可以自己制作手工香皂)"，可以想见该段话将围绕手工香皂这个话题展开。后面说到，"手作りする方が増えている(现在自己制作手工香皂的人多了起来)"，至于"理由を聞いてみると(问到什么原因时)"，后面说"好きなようにでき(可以喜欢什么样的就做什么样的)"、"材料を自分で選べるのがいい(可以自己选材料)"，由此可见，整段话是在阐述制作手工香皂的原因。

スクリプト

ラジオで女の人が話しています。

女：皆さん、自分で石けんを作れるってご存じでしたか。最近、石けんを手作りする方が増えているそうです。理由を聞いてみると、色も香りも形も自分の好きなようにでき、特に、中に入れる材料を自分で選べるのがいいそうです。自然の物だけを選べば、アレルギーのある人も安心ですし、赤ちゃんにも使うことができます。一般的な石けんより値段は高くなりますが、それでも作りたいという人はおおぜいいるということです。

女の人は何について説明していますか。

1　手作り石けんの材料

2　石けんを手作りする理由

3　自分で石けんを作るときの注意

練習1

話を聞いて、①②③に答えてください。

(1) ① 何の話ですか。B21

　　　　1　寒い季節の祭り

　　　　2　珍しい祭り

　　　　3　自然に関係する祭り

　　② ①についてどんな話をしていますか。

　　　　1　多い

　　　　2　短い

　　　　3　冬にする

　　③ もう一度話を聞いてください。その後で質問に答えてください。B21 B22

　　　　┌─────────────────┐
　　　　│　1　　　2　　　3　│
　　　　└─────────────────┘

(2) ① 何の話ですか。B23

　　　　1　りんごを毎日食べるダイエット

　　　　2　運動するダイエット

　　　　3　規則正しい生活をするダイエット

　　② ①について男の人はどんな話をしていますか。

　　　　1　体によくない

　　　　2　簡単にやせられる

　　　　3　一緒にやれば楽しい

　　③ もう一度話を聞いてください。その後で質問に答えてください。B23 B24

　　　　┌─────────────────┐
　　　　│　1　　　2　　　3　│
　　　　└─────────────────┘

1　話題をつかみ、全体として言いたいことを考える ── 67

(3) ① 何^{なん}の話^{はなし}ですか。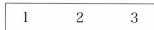

    1 牧場^{ぼくじょう}

    2 牛^{うし}

    3 牛乳^{ぎゅうにゅう}

② ①についてどんな話^{はなし}をしていますか。

    1 3種類^{しゅるい}の牛^{うし}の牛乳^{ぎゅうにゅう}を比^{くら}べられる

    2 茶色^{ちゃいろ}の牛^{うし}が人気^{にんき}がある

    3 アイスクリームやチーズが食^たべられる

③ もう一度^{いちど}話^{はなし}を聞^きいてください。その後^{あと}で質問^{しつもん}に答^{こた}えてください。

1	2	3

(4) ① 何^{なん}の話^{はなし}ですか。

    1 流行^{りゅうこう}しているファッション

    2 シャツとネクタイの組^くみ合^あわせ

    3 ジーンズとTシャツの組^くみ合^あわせ

② ①についてお姉^{ねえ}さんはどんな話^{はなし}をしていますか。

    1 落^おち着^ついた組^くみ合^あわせの方^{ほう}がいい

    2 新^{あたら}しくて好^すきな組^くみ合^あわせだ

    3 歌手^{かしゅ}みたいなファッションがいい

③ もう一度^{いちど}話^{はなし}を聞^きいてください。その後^{あと}で質問^{しつもん}に答^{こた}えてください。

1	2	3

2 前置きの表現を手がかりにして意図を考える

何かを頼んだり謝ったりする前には、前置きの表現をよく使います。これらの表現は話し手の意図を考える手がかりになります。

Preliminary expressions are often used before one asks or apologizes for something. These expressions provide a clue for considering the speaker's intentions.

日语中表示请求、道歉之前，通常会有一个开场白。熟悉这些用作开场白的表达方式，将帮助我们更好地理解说话人的意图。

表現

・意図を知らせる：　Making known one's intentions　表示说话人的意图的表达方式

　　　お願い／うかがいたいこと／質問／ご相談／お話　があるんですが

・話題を知らせる：　Making known one's subject　提示话题的表达方式

　　　　～のことなんですけど／～なんだけど／～んですが

・大切なことを言う：　Saying things of great importance　表示说话人强调事项或重要信息的表达方式

　　　　実は／それが

⭐ 例題2

話を聞いて、①②③に答えてください。

① 話題は何ですか。 (B29)

② もう一度話を聞いて、女の人の意図が具体的にわかる部分を聞き取って、書いてください。 (B29)

③ 質問を聞いて、答えてください。 (B30)

1	2	3

答え ①（山口さんに借りた）ノート　②「返しといてくれないかな」　③3

　女の人は「お願いがある」と、来た意図を知らせてから、「このノート、昨日山口さんに借りたんだけど」と話題を示しています。この２つを手がかりにすると、「返しといてくれないかな」が女の人の具体的な意図で、選択肢では「ノートを預けに来た」があてはまります。

After stating her intention for coming and saying「お願いがある (I have a favor to ask of you)」she declares the issue that brought her to her friend's house「このノート、昨日山口さんに借りたんだけど (It's the notebook, I borrowed it from Ms. Yamaguchi yesterday, but…)」. From these two utterances, you can tell that「返しといてくれないかな (can you return it for me)」is going to be her specific intention, so the choice「ノートを預けに来た (I have come to put the notebook into your keeping)」is applicable.

从谈话中女士的开场白"お願いがある(有件事想求你)"可以大致了解她到朋友这儿来的意图，从"このノート、昨日山口さんに借りたんだけど(这本笔记是昨天我从山口那儿借来的)"可以知道这段话将围绕"从山口那儿借来的笔记"展开，在这两条线索的帮助下，可以知道女士到朋友这儿来的目的是"返しといてくれないかな(能帮我还给他吗？)"，因此判断"ノートを預けに来た(来把笔记交给她)"是正确的选项。

スクリプト

女の人が友達のうちに来て話しています。

女1：突然来てごめんね。ちょっとお願いがあるんだけど、あした学校行くよね？

女2：うん、もちろん。何？

女1：えーと、このノート、昨日山口さんに借りたんだけど、返しといてくれないかな。実はいなかのおばあちゃんが病気になっちゃって。これからお見舞いに行くからあしたは休むんだ。

女2：え、そうなの？　大変だね。

女1：ごめんね。来週試験だし、ノート借りたままだと困ると思うから。

女の人は友達のうちに何をしに来ましたか。

1　お見舞いに来た

2　ノートを借りに来た

3　ノートを預けに来た

練習2

話を聞いて、①②③に答えてください。

(1) ① 話題は何ですか。 B31

② もう一度話を聞いて、女の人の意図が具体的にわかる部分を聞き取って、書いてください。 B31

③ 質問を聞いて、答えてください。 B32

1	2	3

(2) ① 話題は何ですか。 B33

② もう一度話を聞いて、男の人の意図が具体的にわかる部分を聞き取って、書いてください。 B33

③ 質問を聞いて、答えてください。 B34

1	2	3

(3) ① 話題は何ですか。 B35

② もう一度話を聞いて、女の人の意図が具体的にわかる部分を聞き取って、書いてください。 B35

③ 質問を聞いて、答えてください。 B36

1	2	3

自分の意見や主張などを述べるとき、一般的に言われていることやこれまでのことと比べながら話すことがあります。そのパターンを手がかりにして、意見・主張を聞き取ります。

It is quite common for people stating their own opinions and making their own assertions to say what is generally said and to talk by comparing with things that have been around until now. Try to catch their opinions and assertions by taking their pattern of speech as a clue.

表述自己的观点或主张时，有时会采用与社会常识、通俗观念、以往观点或情况做比较的表达方式。请以这类表达方式为线索，准确理解说话人的观点或主张。

〈意見・主張を述べるパターンと表現〉

Patterns of speech and expressions used when stating opinions and making assertions

表述观点或主张的表达类型及其表达方式

一般論・これまでの状況など	→	話す人の意見・主張など
General talk – Situation until now		Speaker's opinions and assertions
表示社会常识、通俗观念、 以往观点或情况等的表达方式		表示说话人的观点或主张等的表达方式

よく〜／〜と言われます	しかし	〜のではないでしょうか
みんな／もちろん	〜が／でも	〜のです／〜と思います
これまで〜でした／ました	それより	これからは〜／今後は〜

⭐ 例題3

話を聞いて、①②に答えてください。

① 話を聞いてください。男の人の意見はaとbのどちらに近いですか。

  a 社員にたくさん物を売ってもらいたい
  b お客様に喜んでもらいたい

② もう一度話を聞いてください。その後で質問に答えてください。

1	2	3

答え ①b ②3

社長は「お金をもうけ(る)」ことは「もちろん大事」と認めていますが、「しかし」に続けてそれよりもっと大事なことを話しています。「ありがとうと言ってもらうこと」「喜んでもらうこと」を頑張ってほしいと言っています。

The president (of a company) admits that 「お金をもうけ(る) (making money)」is「もちろん大事 (of course important)」. Yet after having said 「しかし (but)」he will talk about things that are more important than money. He says that he wants his staff to persist in trying to 「ありがとうと言ってもらうこと (have customers say thank you)」and trying to 「喜んでもらうこと (make them happy)」.

这段话中，总经理虽然也承认"お金をもうける(赚钱)""もちろん大事(当然很重要)",但接下来表转折的"しかし(但是)"后面接的才是更为重要的内容。他说他更希望公司职员努力做到的是"ありがとうと言ってもらうこと(让顾客满意)"、"喜んでもらうこと(让顾客高兴)"。

スクリプト

会社で社長が話しています。

男：会社はたくさん物を売ってお金をもうけることが、もちろん大事です。お客様に買ってもらわなければ、わたしたちはご飯を食べていけませんからね。しかし、お金だけでは、わたしたちの心は満たされません。お客様にありがとうと言ってもらうこと、喜んでもらうことが働く力になるのだと思います。お客様にそのような言葉をかけていただけるよう、皆さんも頑張ってください。

社長が言いたいことは何ですか。

1 たくさん物を買ってもらえるように頑張ってほしい
2 ご飯を食べていけるように頑張ってほしい
3 人に喜んでもらえるように頑張ってほしい

練習3

話を聞いて、①②に答えてください。

(1) ① 話を聞いてください。男の人の意見はaとbのどちらに近いですか。 🎧B39

      a　おいしくて簡単な料理を教えたい
      b　料理に使う材料について教えたい

  ② もう一度話を聞いてください。その後で質問に答えてください。 🎧B39 🎧B40

1	2	3

(2) ① 話を聞いてください。女の人の意見はaとbのどちらに近いですか。 🎧B41

      a　いろいろな所を見てみたい
      b　1か所でゆっくり過ごしたい

  ② もう一度話を聞いてください。その後で質問に答えてください。 🎧B41 🎧B42

1	2	3

(3) ① 話を聞いてください。男の人の意見はaとbのどちらに近いですか。 🎧B43

      a　「みんな」という言葉は簡単に使えていい
      b　「みんな」という言葉は正しく使われていない

  ② もう一度話を聞いてください。その後で質問に答えてください。 🎧B43 🎧B44

1	2	3

✳ 確認問題 🅑45

この問題は、ぜんたいとしてどんないようかを聞く問題です。話の前に質問はありません。まず話を聞いてください。それから質問とせんたくしを聞いて、1から4の中から、最もよいものを一つえらんでください。

(1) 🅑46 | 1　　2　　3　　4 |

(2) 🅑47 | 1　　2　　3　　4 |

<ruby>模<rt>も</rt>擬<rt>ぎ</rt>試<rt>し</rt>験<rt>けん</rt></ruby>

問題1

問題1では、まず質問を聞いてください。それから話を聞いて、問題用紙の1から4の中から、最もよいものを一つえらんでください。

1番

ア　たまご　　　イ　きゅうり　　　ウ　じゃがいも　　　エ　あぶら　　　オ　ハム

1　ア　イ　ウ
2　ア　イ　オ
3　ウ　エ
4　ウ　オ

2番

1　　　　　　　2　

3　　　　　　　4　

3番 _B51

1　秋山さんのきがえをてつだう

2　秋山さんをさんぽにつれていく

3　もうふを外に持っていく

4　2ごうしつのベッドを動かす

4番 _B52

1　11時にあんないじょに行く

2　15時にあんないじょに行く

3　11時に会場に行く

4　15時に会場に行く

5番 _B53

1　おきゃくさまにプログラムをわたす

2　おきゃくさまをせきにあんないする

3　会場をじゅんびする

4　アンケート用紙を集める

6番 _B54

1　はこにしょうひんを入れる

2　はこにあてなシールをはる

3　はこのしょうひんをかくにんする

4　はこにサンプルを入れる

問題2 _{B55}

問題2では、まず質問を聞いてください。そのあと、問題用紙を見てください。読む時間があります。それから話を聞いて、問題用紙の1から4の中から、最もよいものを一つえらんでください。

1番 _{B56}

1　持ち歩きやすいこと
2　色がきれいなこと
3　長くとれること
4　水中で使えること

2番 _{B57}

1　さいふ
2　けいたい電話
3　電話代のはらいこみ用紙
4　電気代のはらいこみ用紙

3番 _{B58}

1　おかしの作り方を学ぶため
2　いろいろなおかしを食べるため
3　先生がかいたえを見るため
4　おかし工場にえをかざるため

4番

1 　自分の会社を作る

2 　日本の大学院に行く

3 　海外の大学院に行く

4 　父の仕事をてつだう

5番

1 　大きいなべを使う

2 　時間をかけてゆっくりにる

3 　できるだけていねいにまぜる

4 　ひょうめんのあわをとる

6番

1 　仕事が楽だから

2 　いろいろな国の話が聞けるから

3 　英語のれんしゅうができるから

4 　勉強を教えるのがすきだから

問題3 🎧B62

問題3では、問題用紙に何もいんさつされていません。この問題は、ぜんたいとしてどんなないようかを聞く問題です。話の前に質問はありません。まず話を聞いてください。それから、質問とせんたくしを聞いて、1から4の中から、最もよいものを一つえらんでください。

1番 🎧B63 | 1   2   3   4 |

2番 🎧B64 | 1   2   3   4 |

3番 🎧B65 | 1   2   3   4 |

問題4 ⓑ66

問題4では、えを見ながら質問を聞いてください。やじるし（→）の人は何と言いますか。
1から3の中から、最もよいものを一つえらんでください。

1番 ⓑ67

2番 ⓑ68

3番 　| 1　　　2　　　3 |

4番 　| 1　　　2　　　3 |

問題5 🎧B71

　問題5では、問題用紙に何もいんさつされていません。まず文を聞いてください。それから、そのへんじを聞いて、1から3の中から、最もよいものを一つえらんでください。

1番 🎧B72 　| 1 　　　 2 　　　 3 |

2番 🎧B73 　| 1 　　　 2 　　　 3 |

3番 🎧B74 　| 1 　　　 2 　　　 3 |

4番 🎧B75 　| 1 　　　 2 　　　 3 |

5番 🎧B76 　| 1 　　　 2 　　　 3 |

6番 🎧B77 　| 1 　　　 2 　　　 3 |

7番 🎧B78 　| 1 　　　 2 　　　 3 |

8番 🎧B79 　| 1 　　　 2 　　　 3 |

9番 🎧B80 　| 1 　　　 2 　　　 3 |

著者
中村かおり
　　拓殖大学留学生別科　特任講師、麗澤大学日本語教育センター　非常勤講師
福島佐知
　　拓殖大学留学生別科、亜細亜大学全学共通科目担当、
　　東京外国語大学留学生日本語教育センター　非常勤講師
友松悦子
　　元拓殖大学留学生別科　非常勤講師

翻訳
英語　スリーエーネットワーク
中国語　賈黎黎

イラスト
柴野和香

装丁・本文デザイン
糟谷一穂

ＣＤ吹き込み
岡本芳子
河井春香
北大輔

新完全マスター聴解　日本語能力試験Ｎ３

2012年6月22日　初版第1刷発行
2016年2月25日　第 4 刷 発 行

著　者　　中村かおり　福島佐知　友松悦子
発行者　　藤嵜政子
発　行　　株式会社スリーエーネットワーク
　　　　　〒102-0083　東京都千代田区麹町3丁目4番
　　　　　　　　　　　トラスティ麹町ビル2Ｆ
　　　　　電話　営業　03 (5275) 2722
　　　　　　　　編集　03 (5275) 2725
　　　　　http://www.3anet.co.jp/
印　刷　　萩原印刷株式会社

ISBN978-4-88319-609-8　C0081

新完全マスター 聴解

日本語能力試験

聴解
N3

別冊

_{べっ} _{さつ}

解答とスクリプト
_{かいとう}

Ⅰ　音声の特徴に慣れる

練習1−A　※○が答え

(A06)　(例)　天気（a　電気　　ⓑ　天気　　c　元気）

(1)　音（ⓐ　音　　b　夫　　c　元）

(2)　時計（a　統計　　ⓑ　時計　　c　峠）

(3)　以内（a　以来　　ⓑ　以内　　c　以外）

(4)　数（a　勝つ　　ⓑ　数　　c　ガス）

(5)　作家（a　雑貨　　b　坂　　ⓒ　作家）

(6)　銀色（a　金色　　b　黄色　　ⓒ　銀色）

(7)　パンダ（a　バター　　ⓑ　パンダ　　c　肌）

(8)　カード（a　角　　b　カット　　ⓒ　カード）

(9)　将来（ⓐ　将来　　b　町内　　c　場内）

(10)　知っている（a　している　　b　敷いている　　ⓒ　知っている）

練習1−B　※答えは（　）の中

(A07)　(例)　これから美容院へ行きます。（a）

(1)　すみません、コピー、お願いします。（b）

(2)　最近、田中さんに会いました。（b）

(3)　これは今でないとできません。（a）

(4)　あればいいと思います。（a）

(5)　早く変えたほうがいいですよ。（b）

(6)　この服、ちょうどいいですね。（b）

(7)　この映画はもう一度見た。（a）

(8)　ねえ、これは買ったの？（a）

(9)　みんな来るまで待ちましょう。（b）

(10)　あともう少し、できますよ。（a）

練習1−C　※答えは（　）の中

(A08)　(1)　男：ここにはどのぐらい魚がいるんですか。
　　　　　女：100匹ぐらいですね。（b）

(2) 男：いつが空いていますか。
　　　女：8日か9日なら大丈夫です。（ a ）

(3) 女：そろそろ出ないといけないかな。
　　　男：まだ35分だよ。（ b ）

(4) 女：この大学にはどのぐらい留学生がいるんですか。
　　　男：全体の11.1パーセントです。（ a ）

(5) 男：ずいぶん待つんですね。
　　　女：ええ、もう7、8分ですよ。（ a ）

(6) 女：古い建物ね。いつごろ建てられたのかな。
　　　男：1017年だそうですよ。（ a ）

(7) 女：どう、どの辺まで読んだ？
　　　男：やっと3分の2まで行ったよ。（ a ）

(8) 男：全部で何点取れた？
　　　女：3百5、60点かな。（ b ）

(9) 女：どのぐらい本読む？
　　　男：そうだな、1か月に3冊ぐらいかな。（ b ）

(10) 男：何人ぐらい集まるんですか。
　　　女：約50人です。（ a ）

練習2-1　※答えは（　）の中

(例) この本、読んでる？（b　読んでいる）
(1) 今日は行かなくちゃ。（a　行かなくてはならない）
(2) 昼ご飯、食べてくね。（a　食べていく）
(3) 水、持ってった？（a　持っていった）
(4) 切符、なくしちゃったよ。（b　なくしてしまった）
(5) かばん、持つって言ったんだよ。（b　持つと言った）

練習2-2　※答えは（　）の中

(例) カメラ、持ってるよ。（持っている）
(1) あ、そろそろ帰らなきゃ。（帰らなければ）
(2) うち、寄ってく？（寄っていく）

(3) ここに捨てちゃだめだよ。(捨てては)

(4) 先生の話、ちゃんと聞いてた？(聞いていた)

(5) 先に食べちゃうね。(食べてしまう)

(6) 店、もう開いてるよ。(開いている)

(7) 飲み物、買ってかない？(買っていかない)

(8) さっきそっちに入れといたんだけど。(そちらに入れておいた)

(9) DVDなら、田中さんが持ってったよ。(持っていった)

(10) ずっと同じのばっかり見てるね。(ばかり見ている)

練習3

答え (1)× (2)ー (3)× (4)ー (5)× (6)× (7)ー (8)ー (9)× (10)×

(1) 男：スポーツ大会、出てみたらどうですか。
　　女：うーん、そうだねえ。

(2) 男：あした、10時にお電話しましょうか。
　　女：あ、10時ですね。

(3) 男：こっちの方がいいですよ。
　　女：そうですかあ？

(4) 男：駅前の店にしませんか。
　　女：ああ、あの店ね。

(5) 男：ここ、寒いよね。
　　女：え？　寒い？

(6) 男：ね、もう出ようよ。
　　女：えー、もう？

(7) 男：こちら、いかがですか。
　　女：うん、5,000円か。

(8) 男：一緒に歌おうよ。
　　女：うん、いいよ。

(9) 男：運動したほうがいいね。
　　女：あー、運動ねえ。

(10) 男：金曜日の夜に行かない？
　　女：うーん、金曜日かー。

練習1 ※答えは( )の中

(A14) (1) 漢字の読み方を友達に教えてもらいたいです。(友達)

(2) 友達のうちのトイレを使いたいです。(話す人)

(3) 食堂で隣の席の人にしょうゆを取ってほしいです。(隣の席の人)

(4) 商品の説明がわからなかったので、店の人にもう一度説明してもらいたいです。
(店の人)

(5) きれいな着物を着ている人の写真を撮りたいです。(話す人)

(6) 机を動かすので、近くの人に手伝ってほしいです。(近くの人)

(7) 図書館で日本の歴史について調べたいです。(話す人)

練習2-A ※答えは( )の中

(A15) (1) 友達の隣の席に荷物を置きたいです。何と言いますか。

　　1　荷物、そこに置いてもいい？（○）

　　2　荷物、そこに置いたらどう？（×）

　　3　荷物、そこに置かせてもらえる？（○）

(2) 先輩にレポートを見てもらいたいです。何と言いますか。

　　1　レポートをチェックしてもいいですか。（×）

　　2　レポートをチェックしてくれませんか。（○）

　　3　レポートをチェックしたいんですが。（×）

(3) コンビニで英語の新聞を買いたいです。店員に何と言いますか。

　　1　あの、英語の新聞、ありますか。（○）

　　2　あの、英語の新聞、買えばいいですか。（×）

　　3　あの、英語の新聞、買っていただけませんか。（×）

(4) 駅までの道がわかりません。何と言いますか。

　　1　駅までの道を教えていただきたいんですが。（○）

　　2　駅に行ったらどうですか。（×）

　　3　駅にはどう行けばいいでしょうか。（○）

(5) 病院に一緒に行ってほしいので、友達に頼みます。何と言いますか。

　　1　一緒に病院に行ってもいい？（×）

2　一緒に病院に行ってもらえない？（○）

3　一緒に病院に行かせてくれない？（×）

(6)　一人では全部できません。友達に何と言いますか。

1　ちょっと手伝ってもらえないかな？（○）

2　何を手伝ったらいいかな？（×）

3　ちょっと手伝いましょうか。（×）

(7)　相手の名前の漢字が読めません。何と言いますか。

1　お名前、読んでもよろしいでしょうか。（×）

2　お名前、どう読めばいいでしょうか。（○）

3　お名前の読み方、教えていただけませんか。（○）

(8)　会社の車を使いたいです。何と言いますか。

1　車、使ってくださいませんか。（×）

2　車、使わせていただきたいんですけど。（○）

3　車、使ったらいいでしょうか。（×）

練習2-B　※答えは（　）の中

(1)　友達のメールアドレスを知りたいです。何と言いますか。

1　メールアドレス、教えてもらえない？（○）

2　メールアドレス、聞いてくれない？（×）

3　メールアドレス、聞いてもいい？（○）

(2)　会議室のかぎを使いたいです。受付の人に何と言いますか。

1　会議室のかぎを借りていただきたいんですが。（×）

2　会議室のかぎを貸してくださいますか。（○）

3　会議室のかぎを貸したいんですけど。（×）

(3)　店でケースに入った時計を近くで見たいです。店員に何と言いますか。

1　この時計、見せてもいいですか。（×）

2　この時計、見てもらいたいんですが。（×）

3　この時計、見せていただけますか。（○）

(4)　留守の間、猫の世話を友達に頼みます。何と言いますか。

1　猫、預かるよ。（×）

2　猫、預かってもらえる？（○）

3 猫、預けてくれない？（×）

(5) 店で商品のパンフレットがほしいです。何と言いますか。

   1 パンフレットをもらってもいいですか。（○）

   2 パンフレットをいただけますか。（○）

   3 パンフレットをもらってくださいませんか。（×）

(6) 友達の辞書を使いたいです。何と言いますか。

   1 辞書、借りてくれない？（×）

   2 辞書、貸してもいい？（×）

   3 辞書、貸してもらえる？（○）

(7) わからないところを先生に質問します。何と言いますか。

   1 ここ、聞いていただきたいんですけど。（×）

   2 ここ、教えてもよろしいでしょうか。（×）

   3 ここ、教えていただけませんか。（○）

(8) 大学で隣の席の人に教科書を見せてもらいます。何と言いますか。

   1 あの、教科書、見せてくれませんか。（○）

   2 あの、教科書、見せてもいいでしょうか。（×）

   3 あの、教科書、見てほしいんですけど。（×）

練習3 ※○が答え

(1) 教室の窓が開きません。何と言いますか。

   1 窓を開けてもよろしいでしょうか。

   ② この窓、開かないんですが。

   3 この窓、開けませんか。

(2) 会社でほかの人がたくさん荷物を持っています。何と言いますか。

   1 荷物、持ってあげますか。

   2 荷物、持ったらいいですか。

   ③ 荷物、持ちましょうか。

(3) 友達のシャツがソースで汚れています。何と言いますか。

   ① シャツにソースがついていますよ。

   2 ソースはそこにありますよ。

   3 シャツにソースがつきますよ。

(4) レストランで自分のスプーンが落ちました。店の人に何と言いますか。

    1   スプーン、落ちましたよ。

    ②   スプーン、落としちゃったんですが。

    3   スプーン、持ってきてもいいですか。

(5) 会社でほかの人の仕事を手伝います。何と言いますか。

    1   手伝っていただきます。

    ②   お手伝いしますよ。

    3   お手伝いしませんか。

(6) 電車の中にかばんを忘れました。駅員に何と言いますか。

    1   電車の中にかばんを忘れていますよ。

    2   電車の中にかばんがありますか。

    ③   電車の中に忘れ物をしたんですけど。

(7) 今日は図書館は休みです。図書館に行こうとしている友達に何と言いますか。

    ①   今日は図書館は閉まってるよ。

    2   今日は図書館で休んでるよ。

    3   図書館、閉まると思うよ。

(8) 前を歩いている人の手袋を拾いました。何と言いますか。

    1   これは手袋ですよ。

    ②   手袋、落としましたよ。

    3   手袋、拾ったらどうですか。

練習4 ※○が答え

Ⓐ18 (1) 会社で先輩より先に帰ります。何と言いますか。

    ①   お先に失礼します。

    2   おじゃまします。

    3   お世話になりました。

(2) 会社で部長に話したいことがあります。何と言いますか。

    1   ごめんください。

    ②   ちょっとよろしいですか。

    3   お世話になります。

(3) 風邪を引いた人が早く帰ります。その人に何と言いますか。

① お大事に。

2 お元気で。

3 お先に。

(4) 先生に久しぶりに会いました。何と言いますか。

    1 お待たせしました。

    2 失礼いたしました。

    ③ ごぶさたしております。

(5) お客さんに席を勧めます。何と言いますか。

    1 お口に合うかどうか。

    2 お出かけください。

    ③ おかけください。

(6) 先生に今から話せるかどうか聞きます。何と言いますか。

    1 お話をしたいでしょうか。

    ② お時間ありますか。

    3 何か問題がありますか。

(7) 社長室に入ります。何と言いますか。

    ① 失礼します。

    2 ごめんください。

    3 うかがいます。

(8) 会社の人があしたから出張に行きます。何と言いますか。

    1 行ってきます。

    ② お気をつけて。

    3 お元気で。

✳ 確認問題

答え (1)2 (2)3

(1) 先生に推薦状を書いてもらいたいです。何と言いますか。

    女：1 推薦状を書いてもいいですか。

       2 推薦状を書いていただけませんか。

       3 推薦状をお書きしましょうか。

(2) 友達がかさがなくて困っているようです。何と言いますか。

女：1　かさ、借りてくれない？

　　　2　かさ、貸したらどう？

　　　3　かさ、貸そうか。

Ⅲ　「即時応答」のスキルを学ぶ

練習1-A　※○が答え

(例) 女：これ、召し上がりませんか。

　　男：ⓐ　はい、いただきます。

　　　　b　はい、まいります。

　　　　c　はい、うかがいます。

(1) 男：土曜日、よかったらうちにいらっしゃいませんか。

　　女：a　はい、喜んで行かせます。

　　　　ⓑ　はい、喜んでうかがいます。

　　　　c　はい、喜んでいただきます。

(2) 女：申込書の書き方はこれでいいでしょうか。

　　男：ⓐ　じゃ、ちょっと拝見しますね。

　　　　b　じゃ、ちょっとご覧になってください。

　　　　c　じゃ、ちょっとお目にかかりましょう。

(3) 女：これ、1枚もらってもいいですか。

　　男：ⓐ　ご自由にお取りください。

　　　　b　いつでもいただきますよ。

　　　　c　どなたでもくださいますよ。

(4) 女：すみません。よく聞き取れなかったのですが……。

　　男：ⓐ　では、もう一度ご説明いたします。

　　　　b　では、もう一度ご説明なさいます。

　　　　c　では、もう一度ご説明になります。

(5) 男：あの、何かご用でしょうか。

　　女：a　田中さんを拝見したいのですが。

　　　　b　田中さんにお会いになるのですが。

　　　　ⓒ　田中さんにお目にかかりたいのですが。

(6)　女：パソコン、使わせていただきたいんですが。

　　　男：a　あちらのを使わせていただけませんか。

　　　　ⓑ　あちらのをお使いください。

　　　　c　あちらのを使われますよ。

(7)　男：あの、お客様、ご予約はされましたか。

　　　女：a　いえ、されていませんが。

　　　　ⓑ　ええ、昨日、電話いたしました。

　　　　c　ええ、お電話でなさいましたが。

(8)　男：今朝の新聞、お読みになりましたか。

　　　女：ⓐ　いいえ、読んでいませんが。

　　　　b　いえ、お読みしませんでした。

　　　　c　いえ、拝見したいんですが。

(9)　女：どなたがいらっしゃったんですか。

　　　男：a　京都におりました。

　　　　b　昨日おいでになりました。

　　　　ⓒ　うちの父がまいりました。

(10)　女：何名様ですか。

　　　男：ⓐ　4人です。

　　　　b　田中と申します。

　　　　c　いえ、鈴木です。

練習1-B　※○が答え

⟨A21⟩ ⟨例⟩ 女：この本、よかったですよ。読みますか。

　　　男：a　ええ、読みましょう。

　　　　ⓑ　はい、読みます。

(1)　男：もう3時ですね。そろそろ行きませんか。

　　　女：a　いいえ、行きますよ。

　　　　ⓑ　ええ、行きましょう。

(2)　女：暑くないですか。エアコン、つけましょうか。

　　　男：ⓐ　ええ、つけてください。

　　　　b　ええ、つけませんか。

(3)　男：あ、薬を飲まれるなら、水をお持ちしましょう。

　　　女：ⓐ　すみません。お願いします。

　　　　　b　ええ、持ちますよ。

(4)　女：今度の会議で司会をしませんか。

　　　男：ⓐ　はい、させていただきます。

　　　　　b　ええ、させませんよ。

(5)　男：今年の夏の旅行はどこがいいでしょうか。

　　　女：ⓐ　今年も富士山にしましょうか。

　　　　　b　今年も富士山にします。

(6)　女：このDVD、面白かったから、よかったら見てみない？

　　　男：ⓐ　ありがとう、見てみるね。

　　　　　b　ありがとう、見てみようね。

(7)　男：ごみ、捨てに行くけど、ついでにこれも捨ててこようか。

　　　女：ⓐ　うん、お願い。

　　　　　b　うん、捨てるよ。

(8)　女：田中君。テニス部に入ったのね。面白い？

　　　男：ⓐ　うん、佐藤さんも入らない？

　　　　　b　うん、佐藤さんも入ろうか。

練習2－A　※○が答え

(1)　女：あした、来ないの？

　　　男：a　へえ、ないんだ。

　　　　　ⓑ　ううん、行くよ。

(2)　男：これ、冷蔵庫に入れておかないと。

　　　女：a　うん、入れてないよ。

　　　　　ⓑ　うん、入れとくよ。

(3)　女：大切だから、書いといて。

　　　男：ⓐ　わかった。メモするよ。

　　　　　b　ふーん、そうか。

(4)　男：あの店、火曜日は休みだって。

女：ⓐ　そうなんだ。じゃ、あした行こう。

　　　b　ありがとう。ゆっくり休むよ。

(5)　女：もう少し前の方に座ったらどう？

　　男：a　じゃ、座ってみたらいいよ。

　　　ⓑ　いや、ここで大丈夫だよ。

(6)　女：忘れずに名前を書くようにね。

　　男：ⓐ　はい、わかりました。

　　　b　ええ、そのようですね。

(7)　女：「かるた」って何か知ってる？

　　男：ⓐ　うん、テレビで見たことある。

　　　b　ああ、そうなんだ。

(8)　男：なんで昨日、来なかったの？

　　女：a　電車で来たんだよ。

　　　ⓑ　おなかが痛かったんだ。

(9)　女：お子さん、おいくつですか。

　　男：ⓐ　来月8歳になります。

　　　b　男の子が3人です。

(10)　女：先生、何て言ってた？

　　男：ⓐ　休んじゃだめだって。

　　　b　忙しいんだね。

練習2-B　※○が答え

(1)　女：ごぶさたしております。お元気ですか。

　　男：ⓐ　ええ、おかげさまで。

　　　b　ええ、おかまいなく。

(2)　男：あの、今ちょっとよろしいでしょうか。

　　女：a　ええ、どういたしまして。

　　　ⓑ　ええ、何でしょうか。

(3)　女：お先に失礼します。

　　男：a　お元気で。

　　　ⓑ　お疲れ様でした。

(4) 男：冷たいお飲み物でもいかがですか。

　　女：ⓐ　いただきます。

　　　　　b　おじゃまします。

(5) 女：いろいろお世話になりました。

　　男：a　どうもお待たせしました。

　　　　　ⓑ　またいらっしゃってください。

練習3　※〇が答え

(1) 男：映画でも見ない？

　　女：a　えー、どうして見てないの？

　　　　　ⓑ　いいよ。ちょうど見たいのがあるんだ。

(2) 女：もう佐々木さんに連絡した？

　　男：a　へえ、もうしたんだ。

　　　　　ⓑ　あー、今日は一日忙しかったんだ。

(3) 男：レポート、もう書けた？

　　女：ⓐ　あと4分の1ぐらいかな。

　　　　　b　え、早いねえ。

(4) 女：ね、かさ、持ってったら？

　　男：a　え？　持っていっちゃったの？

　　　　　ⓑ　いいよ。今日は降りそうもないよ。

(5) 男：あしたのパーティー、僕も出席しなくちゃいけない？

　　女：ⓐ　できればそうしてほしいな。

　　　　　b　行けなくなったんだってね。

(6) 男：これ、ちょっと貸してくれる？

　　女：ⓐ　すぐ返してね。

　　　　　b　いいの？　じゃ、遠慮なく。

(7) 女：お茶、いれようか。

　　男：a　はい、おかげさまで。

　　　　　ⓑ　あー、さっき飲んだところ。

(8) 男：あの、これ、使わせてもらいたいんだけど。

　　女：ⓐ　ごめん。これ、友達のなんだ。

　　　 b　あ、じゃ、使（つか）ってみるね。

(9)　女（おんな）：今度（こんど）のスポーツ大会（たいかい）、出（で）るの？

　　　男（おとこ）：a　へえ、体（からだ）に気（き）をつけて頑張（がんば）ってね。

　　　　　　　 ⓑ　参加（さんか）したいんだけど、用事（ようじ）があるんだ。

(10)　女（おんな）：駅前（えきまえ）のレストラン、行（い）ってみない？

　　　男（おとこ）：a　行（い）ってみなかったんだよ。

　　　　　　　 ⓑ　いいね。ピザがおいしいんだってね。

✳ 確認問題（かくにんもんだい）

答え　(1) 2　　(2) 1　　(3) 1

Ⓐ26　(1)　男（おとこ）：ちょっと手伝（てつだ）ってほしいんだけど。

　　　女（おんな）：1　ありがとう。早（はや）く終（お）わったよ。

　　　　　　　　 2　ちょっと後（あと）でもいい？

　　　　　　　　 3　そうだったんだ。残念（ざんねん）だね。

(2)　女（おんな）：子供（こども）が熱（ねつ）出（だ）しちゃって……。

　　　男（おとこ）：1　それはご心配（しんぱい）ですね。

　　　　　　　　 2　それは心配（しんぱい）いたしましたよ。

　　　　　　　　 3　それは心配（しんぱい）をおかけしましたね。

(3)　女（おんな）：来週（らいしゅう）の試験（しけん）に出（で）るところ、教（おし）えていただけませんか。

　　　男（おとこ）：1　8課（か）から勉強（べんきょう）したところまでですよ。

　　　　　　　　 2　いつもの教室（きょうしつ）に行（い）けばいいでしょうか。

　　　　　　　　 3　11時（じ）半（はん）には出（で）たいんですけど……。

Ⅳ　「課題理解（かだいりかい）」のスキルを学（まな）ぶ

🟦 練習（れんしゅう）1-1

答え　(1) 入（い）れない　(2) 並（なら）べる　(3) 片付（かたづ）けない　(4) 連絡（れんらく）する　(5) 持（も）っていかない

Ⓐ28　(1)　男（おとこ）：手袋（てぶくろ）、絶対必要（ぜったいひつよう）だよ。

　　　女（おんな）：うん、さっきかばんに入（い）れておいた。

(2)　女（おんな）：いす、並（なら）べておいたほうがいいかな。

　　　男（おとこ）：そうだね。

(3) 女：これ、片付けましょうか。

　　男：あ、そのままにしておいて。

(4) 男：田中さんに連絡しておいてもらえる？

　　女：うん、そうする。

(5) 男：風邪薬も持ってく？

　　女：うーん、それはいいよ。

練習１－２

答え (1)洗う　(2)あげない　(3)運ばない　(4)誘う　(5)つけない

(1) 男：これ、洗ったほうがいいかな。

　　女：ああ、そうしたほうがいいんじゃない？

(2) 男：田中さんに、ネクタイ、プレゼントしない？

　　女：別の物の方がいいんじゃない？

(3) 男：これ、どこかに運んだほうがいいよね。

　　女：あー、それは大丈夫なんじゃない？

(4) 男：あしたのパーティー、佐藤さんも誘ってみる？

　　女：ああ、誘ってみたらいいんじゃないかな。

(5) 男：エアコン、つけようか。

　　女：そんなに寒くないんじゃないの？

ステップアップ問題１

(1) **答え** 3

女の人と男の人が家で旅行の準備をしています。女の人はこの後何をかばんに入れますか。

　女：久しぶりの旅行、楽しみね。ね、カメラは？

　男：もうかばんに入ってるよ。だけど、電池がまだだから、後で忘れずに入れないと。

　女：あ、わたしの引き出しにあるから、入れておくね。あ、水着も入れなくちゃ。

　男：僕もさっき入れたところ。あとは、着替え、入れないとな。

　女：わたしのは入れたんだけど。それから帽子も忘れないほうがいいよ。わたしは一番
　　　最初に入れたんだ。あ、ビデオ、忘れてた。

　男：カメラがあるから、それはいいんじゃない？　それに水の中じゃ使えないよ。

女：ああ、そうだね。

(2) 答え 4

男の学生と先生が発表の準備をしています。男の学生はどのように机を並べますか。

学生：発表の時の席なんですけど、授業の時と同じように、横に3列並べておいていい

でしょうか。

先生：うーん、そうですねえ。後で話し合いがあるので、横じゃないほうがいいかもし

れませんね。前の時は四角に並べたんですけど、角の人が見にくそうだったので、

今回は丸にしておきますか。

学生：そうすると、発表する人の方を見にくい人がいるんじゃないかと思いますが。

先生：そうですね。じゃ、前の方だけ並べないでおきましょう。

学生：わかりました。

(3) 答え 1

男の人と女の人がバーベキューの準備について話しています。男の人は何を準備します

か。

男：そろそろバーベキューの準備、考えないといけませんね。

女：そうですね。まず道具を借りないと。あしたバーベキュー場に電話して頼んでおき

ましょうか。

男：あ、うちにおおぜいで使えるのがあるんです。古いのでよかったら……。

女：じゃ、お願いしてもいいですか。それから、コップやお皿は……。

男：ああ、それもキャンプ用のがありますよ。でも、何人来るんでしょうか。

女：全部で20人ぐらいです。

男：それじゃ、全然足りないなあ。

女：洗うのも大変なので、紙皿と紙コップにしませんか。食べ物と飲み物を買うときに、

ついでに用意しますね。

(4) 答え 1

先生が学生にあしたの工場見学について話しています。学生はあした、何を持っていか

なければなりませんか。

男：えー、あしたの自動車工場の見学ですが、工場の人にインタビューをして、後でま

とめます。自分たちで考えた質問の紙を忘れないようにしてください。もちろんペンもね。それから、お菓子や飲み物などを持っていこうと思っているかもしれませんが、工場の中では食べたり飲んだりできません。食べられるのはバスの中だけなので、持っていきたい人はかばんに入れて、バスの中に置いておいてください。お弁当とお茶は学校で用意します。

(5) **答え** 2

🎧 A37 温泉の受付で男の人が係の人と話しています。男の人は受付でいくら払いますか。

男：すみません。大人1人、お願いします。

女：はい。700円です。えーと、学生さんですか。学生証をお持ちでしたら、500円になりますが。

男：あー、今日は持ってきてないんです。

女：そうですか。それから、タオルが必要でしたら、100円、お願いします。

男：タオルはあります。

女：あ、そうですか。それと、中に入ってからロッカーを使うときは、100円を入れてください。使った後で戻ってきますので、忘れずにお取りください。

男：わかりました。

練習2

(1) **答え** 2

🎧 A39 男の人と女の人がパーティーの後で話しています。男の人はこの後まず何をしますか。

男：今日のパーティー、楽しかったですね。さて、後片付け、しましょうか。僕、いす、片付けますね。

女：わたし、お皿を洗いますから、先に使ったお皿を運ぶの、手伝ってくれますか。その後でテーブルもふかないと。

男：わかりました。ごみはどうしましょうか。

女：缶やペットボトルを分けないといけないので、最後に2人で分けて、外に運びましょう。

男：じゃ、さっそくやりましょう。

(2)　答え 3

Ⓐ40　会社で男の人と女の人が話しています。女の人はこの後すぐ何をしますか。

男：じゃ、これから岡田電気に行ってきます。3時頃には戻ると思うけど、もしいない間に、今度の仕事のことで松下さんがいらっしゃったら、この書類、渡しておいてもらえるかな。松下さんには連絡してあるから。

女：はい。これをお渡しするだけでいいんですね。

男：あ、これ、コピー取っておくの忘れてた。悪いんだけど、すぐに1部取って、僕の机の上に置いておいてくれる？

女：わかりました。

男：来週の会議の資料は今週中に頼むよ。

女：はい。

(3)　答え 2

Ⓐ41　女の人がカードの作り方について説明しています。このグループの人たちは、これからまず何をしますか。

女：今日は、誕生日や記念日などに送るカードを作りたいと思います。カードの色は赤、白、黒、緑、青と黄色の6色あります。このカードにはる写真や絵を持ってきてくださいとお願いしましたが、皆さん、お持ちですか。では、最初にその写真や絵に合う色のカードを1枚選んでください。それに写真や絵をはりましょう。それから、こちらのペンを使って、あいさつの言葉を書きます。最後にこちらのテープやシール、スタンプなどで飾りをつけます。どれでも好きなのを使ってください。

(4)　答え 2

Ⓐ42　うちで夫と妻が話しています。夫はこれからまず何をしますか。

男：ちょっと、コンビニに行って、たばこ買ってくるよ。

女：あ、その前にミケにご飯やってくれる？　さっきから、おなかすかせてニャーニャー鳴いてるから。こっち、ちょっと手が離せないんだ。

男：うん、わかった。

女：あ、いけない。しょうゆなくなっちゃった。

男：コンビニで買ってこようか。

女：うーん、いつも使ってるのは、コンビニにはないんだよね。じゃ、後で買い物に行

くからいいわ。あ、そうそう、コンビニに行くならこの荷物、出してきてほしいんだけど。木村さんに本送る約束したの。

男：え？　コンビニから？

女：そう。宅配便でね。住所はこれ。

男：うん。じゃ、行ってきます。

(5)　**答え** 2

(A43)　学校で先生が話しています。女の学生はまず何をしなければなりませんか。

先生：えーと、先週は自分の性格について説明する作文を書きましたね。今日はまずそれを直しましょう。その後、みんなの前で1人ずつ発表してもらいます。発表を聞く人は、今から配るこの紙に感想を書いてください。

学生：先生、わたし、先週休んでしまったんですが。

先生：じゃ、今から発表のメモを作ってください。自分の性格で紹介したいところ1つと、それがよくわかる例を書きましょう。アイディアだけでいいです。それを見ながら発表してください。

学生：わかりました。

☀️ 確認問題

(1)　**答え** 2

(A45)　会社で女の人と男の人が地震が起きたときのための準備について話しています。女の人はこの後何を注文しますか。

女：あの、地震が起きたときのために用意しておく物のことなんですけど。

男：あー、今週注文しなくちゃいけないんだったね。えーと、これが今ある物のリストだね。食料と水はそろそろ古いんじゃないかな。

女：じゃ、新しいのが要りますね。

男：うん。毛布や懐中電灯はどのぐらいある？　5点ずつか……。毛布はもっとあったほうがいいから、あと10枚頼んでよ。

女：ラジオは3台しかないんですが。

男：まあ、それだけあればいいと思うよ。

女：わかりました。

女の人はこの後何を注文しますか。

(2) **答え** 1

A46 男の人と女の人が市民会館で絵本の勉強会の準備をしています。女の人はこれから何をしますか。

男：あしたの親子絵本教室、よろしくお願いしますね。先生に頼まれた本はもう準備してある？

女：はい、先生から言われた本は図書コーナーから借りて、そろえてあります。そのほかの本も何かこちらで用意しておいたほうがいいでしょうか。

男：いや、言われた本だけでいいんじゃないかな。先生も何冊か持ってきてくださるらしいし……。あ、そうだ、後でもう一度聞きたい人のためにビデオを撮っておいたらいいね。

女：でも、それ、先生にお聞きしてからでないと……ビデオの準備はすぐできるんですけど。

男：あ、そうだね。じゃ、先生がいらっしゃったら聞いてみて、OKだったらビデオを準備して。

女：あの、当日では失礼じゃないでしょうか。

男：それもそうだね。じゃ、悪いけど、先生に電話してみて。会場の準備は朝9時からで十分だね。

女の人はこれから何をしますか。

(3) **答え** 2

A47 女の人が講師に説明しています。講師は部屋に来て最初に何をしなければなりませんか。

女：このたびはカルチャーセンターの講師をお引き受けくださいましてありがとうございます。半年間よろしくお願いいたします。こちらのお部屋が講師室でございます。8時半にかぎを開けて、エアコンを入れておきます。おいでになったら、まずこちらのノートにサインをお願いします。あちらにコーヒーと新聞のコーナーがありますので、ご自由にお使いください。あ、それから、お昼ご飯ですが、近くに食堂がありませんので、お弁当が必要な場合はあちらに書いてある電話番号に予約の電話をなさってください。12時にここに運んできてくれます。

講師は部屋に来て最初に何をしなければなりませんか。

練習1

(1) **答え** 1× 2○ 3× 4×

(A49) 女の人と男の人が歌のクラブの練習について話しています。女の人はどうして金曜日に来られませんか。

女：ねえ、来週の歌の練習なんだけど、金曜日、休んでもいいかな？

男：何かあるの？

女：うん。アルバイトのね……。

男：あ、アルバイトしてるんだ。

女：ううん、これから始めるの。その面接なんだ。

男：ふーん。ほかの日は来られる？

女：えーと、木曜日は先生と会う約束があるから、ちょっと遅れて行くかもしれないけど、あとは大丈夫。

男：でも水曜日は授業があって来られないって言ってなかった？

女：ああ、来週は授業が休みになったから、そっちは出られるよ。

(2) **答え** 1○ 2× 3× 4×

(A50) 女の人がテレビで話しています。今年の大根はどうですか。

女：今年の冬はとても寒く、各地でよく雪が降りました。寒くて嫌だなと感じている方もいらっしゃるかもしれません。でも、実は大根のような野菜にとっては寒い冬の方がいいのです。見てください、こちらの大根。大根は寒さによって、このように大きくしっかりと育ち、甘みのある大根になるんですね。去年やおととしのように暖かいと、あまりよいものができません。根が太らないで葉っぱばかり育っていって、味がぼんやりします。

(3) **答え** 1× 2○ 3× 4×

(A51) 留守番電話を聞いています。男の人は今日、どうして遅れると言っていますか。

男：あ、もしもし。西村です。今日の約束なんですけど、ちょっと遅れます。すみません。今、朝日駅なんですけど、気分が悪くなった人がいたらしくて、電車が止まっているんです。事故じゃないので、そのうち動くと思うんですけど……。せっかく

仕事を早く終わらせてもらったのに、お待たせしてしまってすみません。着いたらまた連絡します。

(4) **答え** 1× 2× 3× 4○

Ⓐ52 男の留学生が先生とスピーチ大会について話しています。男の留学生はスピーチで何が最も難しかったと言っていますか。

男：先生、いろいろとご指導ありがとうございました。

女：いいえ、いいスピーチでしたよ。よく頑張りましたね。

男：はい、日本語でこんなに長い話をするのは初めてで、大変でしたが、いい勉強になりました。

女：テーマを決めるまでは大変そうでしたけど、原稿を書き始めたら楽しんで書いていたようですね。

男：はい、書くのは好きなんです。覚えるのはちょっと時間がかかりましたが、でも、発表の時、聞いている人たちの顔を見ながら話すのが一番難しかったです。とても緊張しました。

女：あら、そうですか。落ち着いているように見えましたけど。

男：そうですか。でも、終わってよかったです。

(5) **答え** 1× 2× 3○ 4×

Ⓐ53 女の人と男の人が話しています。男の人は出張で最も困ったことは何だと言っていますか。

女：出張、お疲れ様でした。いかがでしたか。

男：うん、仕事は心配してたような問題が起きなかったからよかったんだけど、まあ、外国だといろいろ大変なこともあるね。

女：言葉も通じないから大変ですよね。

男：そうだね。料理を注文するのにも時間がかかるからね。でも、それより僕は食事が合わなくてね。毎日あの辛い料理を食べなくちゃいけないのが一番困ったな。

女：そうですか。

男：そうそう、ホテルで一度シャワーのお湯が出なくて困ったんだけど、そしたら、とてもいい部屋に変えてくれてね。ま、いい経験になったよ。

答え (1)2 (2)1 (3)1 (4)2 (5)1 (6)2 (7)1 (8)2 (9)2 (10)1

B02 (1) 男：テニス、好きなの？
女：見るだけだけどね。（テニスをするのは好きではない）

(2) 男：あ、この映画、面白いよね。
女：出てる人もいいしね。（面白い）

(3) 男：これ、高いよ。ほんとに買うの？
女：給料もらったばかりだし、ずっとほしかったから。（買う）

(4) 男：夏休み、旅行、行くの？
女：お金があったら、行きたいんだけどね。（行かない）

(5) 男：毎朝、ジョギングしてるの？
女：ちょっと大変だけどね。（している）

(6) 男：これ、片付けましょうか。
女：あ、また後で使いますから。（片付けなくてもいい）

(7) 男：コーヒーでもいれましょうか。
女：おいしいお菓子もありますしね。（コーヒーを飲みたい）

(8) 男：あのレストラン、よく行ってるみたいだけど、おいしいの？
女：そういうわけじゃないんだけど、料理が出てくるのが早くて。

（おいしいから行くのではない）

(9) 男：このソファー、いいよね。
女：うちがもっと広ければ、買いたいけど。（買わない）

(10) 男：昨日の飲み会、行ったの？
女：先輩に誘われなかったら、行かなかったんだけど。（行った）

練習2-2

(1) **答え** 1× 2× 3○ 4×

B04 男の人と女の人が話しています。女の人は今、何を習っていますか。
男：鈴木さん、今日の夜、暇？
女：あ、ごめん。習い事があって。
男：そうか。そういえば、ずっとピアノやってたんだよね。
女：うん。でも、今はたまに自分で弾くぐらいかな。それより今は体を使うこと。

男：何？　ダンスとか？

女：ダンスか、いいねえ。いつかはやってみたいけど。今はね、水泳教室に通ってるんだ。実はダイビングをしたいんだけど、全然うまく泳げないから、先に習い始めたの。

(2)　**答え**　1×　2×　3○　4×

B05　女の人と男の人が話しています。女の人がハワイに行った目的は何ですか。

女：先週ね、ハワイに行ってきたんだ。

男：へえ、いいね。泳ぎに行ってきたの？

女：海で泳ぐのはあんまり好きじゃなくて。だから、ハワイはそんなに興味なかったんだけど、今回は友達の結婚式があったからね。

男：へえ、観光はできたの？

女：したかったんだけどね、時間があんまりなかったから。

男：ふーん。ゆっくりできなくて残念だったね。

女：でも、景色はすごくきれいで楽しかったよ。帰るとき、たくさんショッピングもしたしね。はい、これ、お土産。

(3)　**答え**　1×　2×　3×　4○

B06　女の人が友達とビデオカメラについて話しています。女の人はビデオカメラをどうしますか。

女：ねえ、田中君、夏のキャンプの時、ビデオカメラ持ってきてたよね。

男：ビデオカメラ？　ああ。

女：今度、サークルの発表会があるから、ちょっと貸してもらえない？

男：いつ要るの？　あのビデオカメラ、今、加藤さんに貸してて。

女：え、そうなの？　えーと、再来週の土日なんだけど。わたしから加藤さんに聞いてみてもいいかな。

男：なんか、映画を作るって言ってたから、すぐには返してもらえないんじゃないかな。僕もどうせ使わないから、返すのいつでもいいよって言ってあるからな……。

女：うわあ、そうか。困ったな。鈴木さんにも使う予定があるって言われたし……。

男：あ、そうだ。弟のがあるよ。弟に、前に持ってた古いの、やったんだ。普段使ってないみたいだから、来週持ってくるよ。

女：ほんと？　助かる！　じゃ、お願いね。

(4) **答え** 1×　2×　3×　4○

🅑07 男の人と女の人が駅で話しています。男の人はどうして特急ではなく、各駅停車の電車に乗りたいのですか。

女：あ、あと10分で特急電車が来るよ。

男：えー、各駅停車にしようよ。急ぐ必要ないし。

女：各駅停車で行ったら2時間半もかかるでしょう？　値段もそんなに違わないし。

男：ゆっくりできるのがいいんじゃない。

女：まあ、すいててゆっくりできるけど……2時間半もねえ。

男：こういう機会でもなければ、なかなかゆっくり楽しめないでしょう？

女：楽しむ？　ゲームでもするの？

男：君と2時間半も一緒に座っていられるなんてめったにないことだからね。

(5) **答え** 1×　2×　3×　4○

🅑08 女の人と男の人が話しています。男の人はどうしてダイエットをすることにしましたか。

女：あれ、本田さん、ちょっとやせましたか。

男：あ、わかりますか。ダイエットしてるんですよ。

女：へえ。健康診断でお医者さんに何か言われたんですか。

男：そろそろ言われそうだなとは思ってるんですけどね。

女：じゃ、奥さんに言われたんですか。

男：結婚したばかりだったら、いろいろ言われたかもしれませんけど……。

女：そうですか。まあ、太ると体が重くなって、大変ですからね。わたしも階段を上ったり下りたりするとき、ちょっと気になって。

男：まあ、自分ではあまり気にならないんですけど、太ると服が着られなくなるんでね。太るたびに新しい服買うより、別のことにお金を使いたいなと思って。

練習3

(1) **答え** 1×　2×　3○　4×

🅑10 夫と妻が子供の名前について話しています。妻が考えている赤ちゃんの名前は何ですか。

男：女の子の名前、何かいいの、思いついた？

女：わたし花が好きだから、花の名前がいいな。

男：へえ。じゃ、桜とかばらとか？

女：4月だったら桜もいいけど、生まれるの5月でしょう？

男：あ、そうか。5月ならばらだよね。でも、「ばら」なんて名前聞いたことないしな。アメリカ人の友達でローズっていう子はいたけど。

女：ローズかあ。猫の名前ならいいけどね。それより5月は庭のゆりの花がきれいなのよ。ひらがなで二文字、いいと思わない？

男：英語ではリリーだね。リリーはどう？

女：それもかわいいわね。だけど、やっぱり日本語の方がいいんじゃない？

男：うん、そうだね。

(2) **答え** 1×　2×　3×　4○

(B11) 女の人と男の人が話しています。女の人は何が一番よかったと言っていますか。

女：昨日、友達の結婚式に行ってきたの。

男：へえ、そうなんだ。たくさんおいしい料理、食べたんでしょう？

女：そうでもないの。わたし、あいさつすることになってたから、緊張しちゃってね。相手の人も素敵な人だったし、いい結婚式だったな。ね、歌手のKENって知ってる？

男：え？　知ってるよ。

女：その人が来ていて歌を歌ったんだけど、それがとってもよかったの。ほんとに上手だったよ。なかなか生で聞けないからね。

男：へえ、それはよかったね。

女：でも、やっぱり友達の幸せそうな姿を見られたのが、最高だったな。

(3) **答え** 1×　2○　3×　4×

(B12) 男の人と女の人が話しています。男の人はどうしてその店に行きたいのですか。

男：さてと、ここからちょっと歩くけど、本屋に行こう。

女：え？　本屋？　それより先にランチにしようよ。おなかすいたよ。

男：そう。ランチに行くんだよ、本屋にね。

女：え？　ちょっと待って。本屋にランチって……どこで食べるの？

男：中に喫茶店があるんだよ。実は割引券があってさ。50%オフ、半額だよ。本を読みながらゆっくりコーヒーが飲める店なんだ。おいしいサンドイッチもあるよ。

女：へえ。そういう店があるんだ。雰囲気よさそうだね。

男：雰囲気はいいんだけどさ、けっこう高いから、普段は行きたくてもなかなか行けないんだ。ちょうど買いたい雑誌もあるしね。

(4) **答え** 1× 2× 3× 4○

(B/13) うちで夫と妻が話しています。妻はどうして楽しくなさそうなのですか。

男：おかえり。あれ？　どうかしたの？　ロンの散歩で疲れた？

女：ちょっとはね。いつもより長いコース歩いたし。

男：じゃ、ロンがほかの犬とけんかしたの？

女：ううん、おとなしくついてきたよ。前はよくほかの犬とけんかしそうになったりしたけどね。公園で会った男の子にも、かわいい犬だねってほめられたのよ。

男：じゃ、怒ることないじゃないか。

女：それがね、その子がロンに、「いい子にするんだよ。おばあさんを困らせたらだめだよ」って。おばあさんってだれのことよ！

男：まあまあ、小さい子どもから見れば、そんなもんだよ。

(5) **答え** 1× 2× 3○ 4×

(B/14) うちで子供とお母さんが話しています。子供はどうして弁当を持っていきたくないのですか。

男：お母さん、これからお弁当要らないよ。

女：要らないって、じゃどうするの。

男：学校の近くにコンビニあるからさ、そこで買うよ。そうしてる友達、多いよ。コンビニのってけっこうおいしいし……。

女：どうしたの？　お母さんが作るのおいしくない？　お金もかかるでしょう。

男：たしかにお金はかかるけど、それより行きも帰りも大きい荷物持って歩かなくて済むから……。

女：大きい荷物って、お弁当箱のこと？　そういえば、今のは大きすぎてかばんに入らないわね。小学生の時使ってたお弁当箱、まだあるわよ。

男：やだよ。そんなの恥ずかしいよ。

(1) **答え** 2

🅑16 男の人と女の人がアルバイトの雑誌を見ながら話しています。女の人はどこでアルバイトをしますか。

男：あ、見てこれ。引っ越しの手伝い。けっこう給料もいいし、僕、やってみようかな。

女：でも、大変そう。わたしは体使うの、苦手だな。1日で疲れちゃいそうだから。

男：じゃ、この子供水泳教室もだめだね。

女：あ、わたし、水泳は得意なんだ。子供と一緒って楽しそう。

男：へえ。子供が好きなら、こっちの子供の英語教室もいいんじゃない？

女：うーん、国語なら教えられるかもしれないけど、英語はちょっとね。あ、こっちはホテルの仕事だって。かっこよさそう。

男：でも、シーツ替えたり、お風呂を掃除したりって書いてあるよ。こういうのも力仕事なんじゃない？

女：あー、それもそうだね。やっぱり、自分の得意なことにしよう。

女の人はどこでアルバイトをしますか。

(2) **答え** 4

🅑17 ボランティアグループで女の人が自己紹介をしています。この女の人がボランティアを始めた一番の目的は何ですか。

女：初めまして。高橋と申します。このボランティアグループに入ったのは、もちろん市のあちこちの公園をきれいにしようという気持ちもあるんですが、わたし、この市に引っ越してきて6年ぐらいになるんですけど、市のこと、何も知らないんです。ずっと仕事が忙しかったので……。仕事を辞めて少し暇ができたんで、今度留学生のホームステイの受け入れを市に申し込んだんですが、外国の若い方にこの市を気に入ってもらいたいと思っても、自分が何も知らないんじゃ仕方がありませんよね。お寺とか公園とか、面白そうな所をボランティアしながら見つけていきたいと思っています。

この女の人がボランティアを始めた一番の目的は何ですか。

(3) **答え** 4

🅑18 会社で女の人と男の人が話しています。男の人は今度の出張でどうして日帰りしますか。

女：村田さん、今度の出張、日帰りなんですね。あそこはけっこう時間かかるんじゃないですか。

男：うん、新幹線で3時間、またそこから乗り換えていかないと。

女：前回は泊まりましたよね。

男：この距離なら、泊まりたければ会社からお金が出るんだけど。

女：次の日こっちで仕事ですか。

男：いや、次の日は土曜日だから。会社には来ないよ。

女：あ、じゃ、お宅のほうで？

男：そうなんだ。朝から家族で出かけることになっててね。忙しいけど仕方がないよ。

男の人は今度の出張でどうして日帰りしますか。

Ⅵ 「概要理解」のスキルを学ぶ

練習1

(1) **答え** ①2　②2　③3

🎧B21 テレビで男の人が話しています。

男：今日はちょっと珍しいお祭りをご紹介します。日本にはいろいろなお祭りがありますね。寒い時に水の中に入ったり、大きな火を囲んでお祈りをしたりするなど、自然に関係があるものも多いです。どのお祭りもだいたい1日から長いもので1週間近く続くのですが、今日ご紹介するこのお祭りは、たった1分で終わってしまいます。合図に合わせて、参加者が礼をするだけで終わるのですが、こんなに短いお祭りは日本にはほかにないそうです。

- -

🎧B22 男の人は何について話していますか。

1　日本のいろいろなお祭り

2　日本の冬のお祭り

3　日本で最も短いお祭り

(2) **答え** ①1　②1　③2

🎧B23 うちで男の人と女の人が話しています。

男：最近、毎日りんご食べてるね。皮もむかないで、そのまま。

女：うん、りんごだけ食べ続けると、やせられるらしいんだ。皮もむかないほうが効果があるんだって。

男：ふーん。でも、それで実際にやせた人は、運動したり、食事に気をつけたり、ほかのこともしてたんじゃないの？

女：そうかなあ。簡単にやせられると思ったんだけど。

男：りんごばかりじゃ、かえって体に悪いよ。僕みたいに規則正しい生活してれば、すぐにやせるよ。

女：うーん、でもわたし、残すのがもったいなくてつい食べ過ぎちゃうし、運動も苦手だからなー。

男：よし。じゃ、今日から一緒に運動しようよ。一緒にやれば楽しいし、りんごだけ食べるよりはいいよ。

B24 男の人が伝えたいことは何ですか。

1　りんごは皮をむいて食べたほうがいい

2　りんごだけ食べるのはよくない

3　みんなで運動するのは楽しい

(3)　答え　①1　②1　③2

B25 テレビで女の人が牧場に行ってレポートしています。

女：今、わたしはちょっと面白い牧場に来ています。ご覧ください。たくさんの牛がいます。よく見ると、白黒の牛、茶色の牛、そして、黒い牛もいますね。この牧場には3種類の牛がいて、おいしい牛乳がたくさんとれます。牛の種類によって牛乳の味が違うんですよ。ここでは、アイスクリームやチーズの味も食べ比べることができるんです。茶色の牛のアイスクリームが一番人気があるそうです。

B26 女の人は何についてレポートしていますか。

1　牛の種類

2　牛乳の味が比べられる牧場

3　牛乳から作られる食品

(4) **答え** ①2　②1　③3

🎧B27 うちでお姉さんと弟が話しています。

女：ねえ、それ、今日着ていくシャツとネクタイ？

男：そうだよ。

女：うーん、何て言うか、とっても新しい感じだね。わたしの感覚が古いのかしら。そういうの、最近はやってるの？

男：それはよくわからないけど、好きな物を好きなように着るのがいいんだよ。

女：ジーンズとかTシャツの時はそうかもしれないけど、シャツとネクタイだよ。そういうの、歌手とか俳優さんでも、なかなか着られないよね。普通の人はもう少し落ち着いた組み合わせの方がいいような気がするけど……。

🎧B28 お姉さんが伝えたいことは何ですか。

1　ジーンズとTシャツを着たほうがいい

2　自分のファッション感覚は古い

3　組み合わせを替えたほうがいい

練習2

(1) **答え** ①ホームステイ　②「この学校の学生でなくても申し込めますか」　③2

🎧B31 女の留学生が日本語学校の事務室に来て話しています。

女：あの、すみません。ちょっとお聞きしたいことがあるんですが。

男：はい、何でしょうか。

女：えーと、あそこにはってあるポスターの「夏休み外国人1日ホームステイ」のことなんですが。わたしあれに申し込みたいと思っているんですけど、あれはこの学校で募集しているものなんですか。

男：あ、あれはこの学校ではなくて、市でやっているものですよ。

女：ということは、この学校の学生でなくても申し込めますか。実は、夏休みに妹が国から来ることになっていて、できたら一緒にと思って。

男：ああ、それでも大丈夫なはずです。こちらのパンフレット、どうぞ。詳しいことが書いてあるので読んでみてください。

女：はい、わかりました。妹と相談してから申し込みます。ありがとうございました。

🅑32 女の人は何をしに来ましたか。

　　1　ホームステイにどうやって申し込むか聞きに来た

　　2　ホームステイにだれが参加できるか聞きに来た

　　3　ホームステイのパンフレットをもらいに来た

(2) 答え ①試験　②「受けられなくなってしまって」　③1

🅑33 男の留学生が先生のところへ来て話しています。

　男：先生、ちょっとよろしいですか。ご相談があるんですが。

　女：ええ、何ですか。

　男：あの、来月の試験のことなんですけど、ちょっと受けられなくなってしまって
　　　……。

　女：何か大切な用事ですか。

　男：ええ。卒業したら日本で就職したいと思って、今就職先を探しているんですが、会
　　　社の面接の日が試験の日と重なってしまったんです。それでどうしたらいいかと
　　　思って……。

　女：それじゃ、仕方がないですね。2週間後に再試験の日がありますから、その時に受
　　　けてください。面接の練習は？

　男：はい。何度かしています。

　女：そう。じゃ、頑張ってね。

　男：すみません。よろしくお願いいたします。

🅑34 男の留学生は先生のところへ何をしに来ましたか。

　　1　試験の日を相談しに来た

　　2　面接の練習を頼みに来た

　　3　会社を紹介してもらいに来た

(3) 答え ①今の仕事　②「今とは違う形で働けないかと思っている」「夜遅くまで働くのが
　　　　　ちょっと……」　③3

🅑35 会社で女の人が部長のところへ来て話しています。

　女：あの、部長、お話があるんですが、今よろしいですか。

　男：ああ、いいよ。何？

女：今の仕事のことなんですけど、毎日本当に忙しくて、休みも少ないので、今の働き方では長くは続けていけないんじゃないかと思い始めてまして……。

男：え？　辞めるっていうこと？　どこかほかにいい会社、見つかったの？

女：いえ、それも考えたんですが、この仕事はとても好きなので、できれば今とは違う形で働けないかと思っているんです。

男：そうか。今は1週間に3日だけ働くという人もいるからね。でもその分、給料も少なくなってしまうけど。

女：はあ。毎日でもいいんですけど、夜遅くまで働くのがちょっと……。

男：わかった。ちょっと考えてみるよ。

B36 女の人は部長に何を話しに来ましたか。

1　仕事の内容がつまらないこと

2　今の会社を辞めたいこと

3　働く時間が長すぎること

練習3

(1)　**答え** ①b　②3

B39 料理教室の先生が話しています。

男：皆さん、料理について学ぶというと、いろいろな料理の作り方を習うことだと思っていらっしゃるかもしれません。でも、この教室はちょっと違います。食事というのは、体を作る元になるものです。ですから、料理に使う、野菜、魚、肉などについて、作る人はもっと知らなければならないんじゃないでしょうか。自分たちの体に入る物がどこから来て、どんな栄養があるのかをきちんと知って、安心して家族のために料理を作れるようになる。わたしはそんな教室にしたいと思っています。

B40 先生は何を教えたいと言っていますか。

1　おいしい料理の作り方

2　家族のための料理の作り方

3　料理の材料についての知識

(2) **答え** ①b ②3

(B41) 男の人と女の人がパンフレットを見ながら旅行について話しています。

男：あ、このツアー、面白そうだよ。湖を3つ回って、午後は美術館とワイン工場に行くツアー。一番人気があるんだって。

女：たしかにいろいろ見られて、楽しそうだね。でも、1日にそんなにたくさん回るのは、忙しすぎない？

男：そうかなあ。じゃ、こっちは？　大きい湖に行って、山を見ながら船で湖を一周するんだって。それから、湖で泳げるみたいだし、魚釣りもできて、釣った魚を食べられるって書いてあるよ。

女：うーん、あちこち見たり、いろいろやったりするだけが旅行じゃないと思うけど。

男：だけど、同じ所に何度も行けないから、一度にたくさん楽しめたほうがいいじゃない。

女：そうだねえ。そう考える人が多いけど、せっかく景色がきれいな場所に行くんだから、景色を楽しみながらのんびりと過ごすっていうのも、いいんじゃないかな。

(B42) 女の人はどんな旅行がいいと言っていますか。

1　いろいろな所を見て回る

2　1か所でいろいろなことをする

3　1か所でゆっくり過ごす

(3) **答え** ①b ②3

(B43) ラジオで男の人が話しています。

男：わたしたちはよく「みんな持っているから」とか「みんなもそう言っている」なんていう言い方をしますね。しかし、実際には「みんな」というのは自分の周りの2、3人だったということがよくあります。わたしたちは「みんな」という言葉を簡単に使い過ぎていると思います。言葉はもう少し正しく使うようにしたほうがいいのではないでしょうか。

(B44) 男の人が言いたいことは何ですか。

1　「みんな」という言葉は便利だ

2　「みんな」という言葉は使ってはいけない

3　言葉は意味に注意して使ったほうがいい

(1) 答え 2

🅑46 うちで男の人と女の人が話しています。

男：あした出かけるの、何時頃にしようか。

女：そうねえ。去年は8時頃に出たよね。

男：うん、でも連休の最後の日だから道が込むと思うんだ。特にあそこはこの間テレビで紹介されたから、きっとすごい人じゃないかな。少しでもすいているうちに着いたほうが時間の無駄がないと思うんだけど。

女：たしかにそうね。

男：帰りが遅くなると、バスも大変だよ。みんなだいたい同じ時間に帰るから、ふだんの倍ぐらいの時間がかかるんじゃないかな。

女：去年もそうだったね。

男：あさってからは仕事だし、あしたはなるべく疲れないようにしたいんだ。

男の人が伝えたいことは何ですか。

1　連休中は行くのをやめたほうがいい

2　早く行って早く帰ってきたほうがいい

3　去年と同じ時間に出るのがいい

4　バスで行かないほうがいい

(2) 答え 3

🅑47 テレビで女の人が話しています。

女：きれいになりたいという気持ちを持つのは自然なことだと思いますが、高い化粧品を使えば、それだけでいいと思っていらっしゃいませんか。新しい化粧品をいくつも買う方もいらっしゃるのではないかと思います。しかし、大切なのは、きちんと汚れを落とすことなんです。顔に汚れがたくさん残っていると、いい化粧品を使っても効果は薄いのです。新しい化粧品を買ってみる前に、まずは正しい顔の洗い方を覚えてください。

女の人は何と言っていますか。

1　化粧品の選び方を覚えたほうがいい

2　高い化粧品を使ったほうがいい

3　顔をしっかり洗ったほうがいい

模擬試験

問題1

1番 答え 4

B49 うちで子供とお母さんが話しています。お母さんは何を買いますか。

男：お母さん、今日は僕が夕食作るよ。卵はあるんだよね。きゅうりとじゃがいもは？

女：きゅうりはある。トマトも。じゃがいもは……1つしかないわね。

男：ポテトサラダを作りたいから、じゃがいもはもっと要るな。

女：わかった。買ってくるね。

男：調味料は大丈夫かな。塩、こしょう、酢、油と……あれ？　油は？

女：えーと、そこの戸だなに新しいのが……。

男：それと、忘れてた。ハムもよろしく。あれがなかったらおいしくないんだ。じゃ、頼むね。

お母さんは何を買いますか。

2番 答え 2

B50 美容院で客の女の人と美容師が話しています。美容師は髪をどう切りますか。

男：今日はどんなふうになさいますか。

女：長いのも飽きてきたんで、今日は思い切って短くしようと思って……。

男：短くってどのくらいですか。肩の辺りまで？

女：うーん、切るなら耳が見えるぐらいかな。

男：それもお似合いかもしれませんが、切ってしまってから、切り過ぎちゃった、なんて思いませんか。

女：そうねえ、それじゃ、やっぱり後ろでまとめられるぐらいにしようかな。

男：あごの線ぐらいですね。前髪はどうしましょう？

女：眉毛の上でまっすぐにそろえて切ってください。あ、そうすると、やっぱりさっき言ったみたいに、もっと短いほうがいいかな。

男：じゃ、そうしますね。

美容師は髪をどう切りますか。

3番 答え 4

(B51) お年寄りの人たちの世話をしている所で、男の人と女の人が話しています。男の人はこれからまず何をしますか。

女：あ、小林さん、3号室の秋山さんをお願い。車いすに乗りたいって。

男：わかりました。着替えはもうできているんですか。

女：ええ、さっき。秋山さん、今日は散歩に行きたいそうよ。午後お願いね。

男：はい、近くの公園にお連れします。

女：外は寒いかもしれないから、ひざにかける毛布、持っていってね。あ、忘れてた。ちょっと手伝ってよ。これは力が強い人じゃないとできないわ。2号室のベッドを動かすの。

男：はい、じゃ、秋山さんにはちょっと待っていただいて……。

男の人はこれからまず何をしますか。

4番 答え 1

(B52) デパートの店内放送を聞いています。バイオリンコンサートを聞きたい人はこの後何をしますか。

女：本日は竹屋デパートにお越しいただき、ありがとうございます。本日のイベントのお知らせです。15時から8階イベント会場にて松井さくらのバイオリンコンサートを行います。会場にお入りになるには整理券が必要です。整理券は、11時から1階案内所でお配りします。80名様までとさせていただきますので、お早めにどうぞ。皆様のおいでをお待ちしております。

バイオリンコンサートを聞きたい人はこの後何をしますか。

5番 答え 2

(B53) 市民スピーチコンテストの会場で女の人が男の人と話しています。女の人はこれからまず何をしなければなりませんか。

女：あの、ボランティアの木村です。

男：あ、木村さん、ご苦労様です。今日お願いしたいのは、受付のお手伝いです。お客様がいらっしゃったら、係の者がプログラムをお渡ししますから、その後お席にご案内してください。

女：わかりました。会場の準備はもういいんですか。

男：ええ、それはもう……。あの、それから、スピーチが全部終わったら、お客様から
アンケートの紙を集めてもらえませんか。

女：アンケート用紙は、いつ配るんですか。

男：最初からプログラムにはさんであります。お客様がお帰りの時、出口のところで受
け取ってもらえればいいんです。

女：わかりました。

女の人はこれからまず何をしなければなりませんか。

6番 答え 4

Ⓑ54 会社で女の人と男の人が話しています。男の人はこれからまず何をしますか。

女：今、注文があった商品を箱に入れてるところなんだけど、手伝ってくれる？

男：箱に入れるんですか。

女：それはもうすぐ終わるから、できたのから配達用の宛名シールをはっていって。で
も、その前に、一応中身が合ってるかどうか確認してもらえる？　間違いがあると
大変だから。それぞれの箱に入ってる注文リストと宛名見て。

男：はい、わかりました。

女：あ、サンプル忘れてた。一緒に入れなくちゃね。

男：全部の箱に1つずつ入れればいいですか。

女：うん、じゃ、それは中身を確認する前にお願い。

男の人はこれからまず何をしますか。

問題2

1番 答え 1

Ⓑ56 電気屋で男の人が女の人と話しています。男の人はこのビデオカメラのどこが一番いい
と言っていますか。

男：ね、いいビデオカメラが新しく出たんだ。ほら、これ。買わない？

女：え？　ビデオならうちにあるじゃない。

男：大きいし重いよ。持って歩くの嫌になっちゃって、結局うちに置いたままだろう？

女：そうだね。あんまり使ってないね。

男：どんなにいいビデオでも、使わないと意味がないだろう。ほら、これならこんなに
小さくて軽いんだよ。かばんにも入るから、いつでも持ち歩けるよ。色も今のより

きれいだし。

女：へえ、ほんとだ。これ、長い時間撮れるのかな。

男：今のとそれほど変わらないみたいだよ。あと、使うかどうかわからないけど、水の中でも撮れるんだって。

男の人はこのビデオカメラのどこが一番いいと言っていますか。

2番 答え 3

B57 大学で女の人と男の人が話しています。女の人は何を忘れましたか。

女：あー、しまった。

男：どうしたの？　忘れ物？

女：うん。うち出てくるとき、慌ててて。

男：何？　お金だったら、少しなら貸せるよ。

女：ううん。財布は持ってきたんだけど。携帯電……。

男：あれ？　電話なら、さっき使ってたよね。

女：そうなんだけど、その料金を払うの、今日までなんだ。払い込みの用紙、かばんに入れるつもりで、机の上に出しておいたんだけど。

男：あ、そうだ。僕も電気料金、今日までだった。急いで払わなくちゃ。

女の人は何を忘れましたか。

3番 答え 3

B58 男の人がお菓子工場を見学した後、あいさつをしています。この男の人がお菓子工場に来た目的は何ですか。

男：今日はありがとうございました。玄関にある絵を見せていただければと思って、社長さんにお願いをしたのですが、せっかくだからと工場の中まで見学させてくださいました。作っているところを実際に見ると、自分でもお菓子を作ってみたいと思いました。お菓子もとてもおいしかったです。ごちそうさまでした。えー、見たかった絵というのは、わたしの絵の先生がかいたものなんですが、こちらに飾ってあると聞いて、日本にいる間に絶対に見に行かなければと思っていました。わたしもいつか先生のようにすばらしい絵がかけるようになれたらいいなと思います。その時はぜひ、プレゼントさせてください。

この男の人がお菓子工場に来た目的は何ですか。

4番 答え 3

B59 会社で女の人と男の人が話しています。男の人が今の仕事を辞めた後、最初にすること
は何ですか。

女：林君、この会社、辞めるんだって？　前に自分で会社作りたいって言ってたよね。

男：まあ、将来はそれも考えているんですけど、そのためにはもっといろいろ勉強しな
いと。

女：じゃ、大学院に行くの？

男：ええ、この間決まって。

女：へえ、おめでとう。東京の大学院？

男：いえ、実はイギリスなんです。学生時代にも少し留学してたので、進学するならぜ
ひそこにと思ってたんです。

女：そうか。じゃ、帰国したら会社作るの？

男：いえ、父の会社を手伝いながら、準備をしたいと思っています。

男の人が今の仕事を辞めた後、最初にすることは何ですか。

5番 答え 4

B60 料理の先生が話しています。おいしいスープを作るために最も大切なことは何ですか。

男：スープがおいしい季節ですね。スープを作るとき、実は少しの工夫でもっとおいし
いスープができるんです。まず、スープを作るときは大きめのなべを使ったほうが
いいです。たっぷり水を入れて、野菜や肉、骨などを煮ます。長い時間をかけられ
ればもっといいですね。さて、ここからなんですが、煮ているうちに泡のような物
がたくさん浮いてきます。実はこれがスープの味を落としてしまうんです。ですか
ら、表面に浮いてくるこの泡を丁寧に取りましょう。こうするとスープの味がぐっ
とよくなるので、ぜひ試してみてください。

おいしいスープを作るために最も大切なことは何ですか。

6番 答え 2

B61 女の人と男の人が話しています。男の人がこのアルバイトを続ける理由は何ですか。

女：本田君、アルバイト、始めたんだって？

男：うん。先週から。留学生の寮の仕事なんだけど。

女：へえ。どう？

男：実は、始める前はもっと暇かと思ってたんだけどね。でも、面白いよ、いろんな国の人と話せて。

女：そう。本田君は英語学科だから、英語を使うチャンスができていいね。

男：それが、そうでもないんだ。寮ではみんなだいたい日本語を使うから。

女：ふーん、そうか。でも、続けるんでしょう？

男：うん、世界のいろいろなことを教えてもらおうと思ってるんだ。

男の人がこのアルバイトを続ける理由は何ですか。

問題3

1番　答え 3

B63 講演会で女の人が話しています。

女：今日はいい先生について考えてみましょう。よく、親切だからいい先生だとか、いろんなことを知っているからいい先生だと言う人がいます。もちろん親切ではない人や何も知らない人は先生としてはよくないと思いますが、親切なだけなら、お母さんでも近所の人でもいいのです。また、いろんなことをよく知っていても、それを子供たちや学生たちがわかるように教えられなければ意味がありません。やはり先生というのは、それができるプロのことを言うのではないでしょうか。

女の人はいい先生というのはどんな人だと言っていますか。

1　親切に教えられる人
2　知識がたくさんある人
3　教え方が上手な人
4　子供の心がわかる人

2番　答え 4

B64 会社で男の人が話しています。

男：新入社員の皆さん、一緒に仕事をしてみて、わたしは皆さんがちょっとおとなし過ぎると感じました。うるさいよりいいじゃないかと思いますか。もちろん、上の人の言うことを聞いて、言われたことをちゃんとやることも大切です。しかし、会社ではそれだけでは仕事をしていることになりません。いつも言われるのを待っているばかりでは、本当に仕事をしているとは言えないのです。もっと積極的に意見を言ったり考えたりして、皆さんから動いてください。

男の人が新入社員に伝えたいことは何ですか。

1　静かに仕事をしたほうがいい

2　先輩の話をしっかり聞いたほうがいい

3　言われたことをすぐしたほうがいい

4　自分から行動したほうがいい

3番　答え 2

B65　会社で男の人が女の人のところに来て話しています。

男：山口さん、ちょっと頼みたいことがあるんだけど、君、犬が好きだって言ってたよね。

女：はい、大好きです。子供の時、うちには3匹もいたんです。

男：じゃ、犬の世話なんか慣れているよね。僕も犬飼ってるんだけど、実は1か月……。

女：え？　1か月の子犬ですか。じゃ、かわいいでしょう。

男：いや、1歳なんだけど、来週からちょっと家を留守にしなくちゃならなくなってね。

女：あ、1か月海外出張に行かれるんでしたね。

男：そうなんだよ。1か月もペットホテルじゃかわいそうだし、君のうち、家族みんな犬が好きだって言ってたから……。えさや犬のベッドなんかは、僕がちゃんと持っていくから、ご家族にちょっと聞いてもらえないかな。

男の人は女の人に何を頼んでいますか。

1　犬をもらってほしい

2　犬を預かってほしい

3　犬の世話に来てほしい

4　犬をペットホテルに連れていってほしい

問題4

1番　答え 3

B67　友達のノートを写したいです。何と言いますか。

女：1　ノート、写してくれない？

　　2　ノート、写させてもいい？

　　3　ノート、写させてもらえる？

2番　答え 2

(B68) 学校で友達が机の上に辞書を置いたまま帰ろうとしています。何と言いますか。

男：1　辞書、持とうか。

　　2　辞書、忘れてるよ。

　　3　辞書、持ってない？

3番　答え 3

(B69) 店で服を試したいので店員に聞きます。何と言いますか。

女：1　ちょっと着させてみましょうか。

　　2　ちょっと着せてもらいませんか。

　　3　ちょっと着てみてもいいですか。

4番　答え 1

(B70) 電車の中で立っている人に席を譲ります。何と言いますか。

男：1　ここ、おかけになりませんか。

　　2　ここ、おかけしましょうか。

　　3　ここ、おかけしたらどうですか。

問題5

1番　答え 1

(B72) 女：いつもお世話になってるから、今日はごちそうさせてよ。

男：1　え、いいの？　ありがとう。

　　2　今日はあんまりお金がないんだけど。

　　3　いいよ。遠慮しないで食べて。

2番　答え 2

(B73) 男：ここの字、もう少し大きくしたらどう？

女：1　じゃ、大きくしないの？

　　2　そう？　読みにくいかな。

　　3　うん、小さくしてないよ。

3番 答え 3

女：これ、佐藤さんに返しといてもらえる？

男：1　うん、あした借りてくるよ。

　　2　うん、佐藤さんにもらうんだね。

　　3　うん、来週会ったときでいい？

4番 答え 2

男：あの、こちら拝見してもよろしいでしょうか。

女：1　どうぞ召し上がってください。

　　2　ご自由にご覧ください。

　　3　ええ、おいでください。

5番 答え 1

女：さっき頼んだ書類、できてる？

男：1　もう少し待ってもらえますか。

　　2　え？　もうできたんですか。

　　3　もうできないんじゃないかな。

6番 答え 3

男：何か切る物、持ってきましょうか。

女：1　はい、持ってきました。

　　2　はさみでいいですか。

　　3　ええ、お願いします。

7番 答え 2

男：田中先生をご存じですか。

女：1　はい、拝見します。

　　2　先日、お目にかかりました。

　　3　いえ、おりませんが。

8番　答え 1

B79 男：もうちょっと言い方に気をつけないと。

女：1　はい、申し訳ありません。

2　本当にお世話になりました。

3　どうぞ、お気をつけて。

9番　答え 2

B80 女：昨日の会、楽しかったよ。リーさんも来ればよかったのに……。

男：1　行かなくてもいいよね。

2　行きたかったんだけど……。

3　わたしも行けてよかったな。